Karl Stumpf

Verhältnis des platonischen Gottes zur Idee des guten...

Karl Stumpf

Verhältnis des platonischen Gottes zur Idee des guten...

1. Auflage | ISBN: 978-3-75250-899-4

Erscheinungsort: Frankfurt am Main, Deutschland

Erscheinungsjahr: 2020

Salzwasser Verlag GmbH, Deutschland.

Nachdruck des Originals von 1869.

Verhältniß

des

Platonischen Gottes

zur

Idee des Guten.

Von

Karl Stumpf.

Halle,

C. E. M. Pfeffer.

1869.

Vorwort.

Die vorliegende Abhandlung ist, nachdem sie im vorigen Jahre der philosophischen Facultät in Göttingen behufs der Promotion des Verfassers eingereicht worden war, in die Zeitschrift für Philosophie und philosophische Kritik von J. H. v. Fichte, Ulrici und Wirth, N. F. 54. Bd. 1. und 2. Heft aufgenommen und daraus im Wesentlichen unverändert abgedruckt worden. Hier sei es gestattet, Weniges vorauszuschicken.

Vor Allem ist es mir eine liebe Pflicht, bei Gelegenheit dieser Erstlingsschrift öffentlich den Männern zu danken, unter deren persönlicher Leitung meine philosophischen Studien sich vollzogen — nicht als ob ich glaubte, mit derselben einen Tribut zu erstatten, der die Pflicht des Dankes irgendwie verminderte, aber wohl mit dem Wunsche, daß sie die Arbeit der mir zugewandten Sorge nicht ganz unwürdig finden möchten. Es sind dies Herr Dr. Franz Brentano, Privatdocent der Philosophie zu Würzburg, und Herr Hofrath Dr. Rudolph Hermann Lotze, Professor der Philosophie in Göttingen.

In der Abhandlung wird dem ersten Blicke vielleicht die ausgedehnte Polemik gegen Forscher, denen

Jeder und der Verfasser nicht am wenigsten Hochachtung und Dank schuldet, auffallend sein. Indeß hoffe ich, daß Existenz und Haltung derselben einer Entschuldigung weder vor ihnen noch vor Anderen bedürfen werde. Es schien mir geziemender, mit den bestehenden Ansichten Schritt für Schritt mich auseinanderzusetzen, als sie entweder nicht zu berücksichtigen oder gar nicht kennen zu lernen. Und daß deren nicht wenige sind, weiß, wer sich mit der Frage beschäftigt hat; wer nicht, der wird sich aus dem 1. Abschnitt der Abhandlung darüber unterrichten können. Zugleich wird man sich dann mit mir überzeugen, daß es hier nicht darauf ankam, gänzlich Neues zu bringen, sondern (was oft auch nützlicher ist) Vorhandenes zu klären, zu berichtigen oder zu sichern. Ist dies in der Hauptsache geglückt, so bin ich zufrieden; mit meiner Jugend aber bitte ich mich zu entschuldigen, wenn Schärfersehende in Form und Inhalt noch mannichfache Mängel finden.

Würzburg am 16. Mai 1869.

Der Verfasser.

Inhaltsübersicht.

An Plato's Lehre hatte die historische Forschung in vielen Zeiten ein besonders lebendiges, nicht allzeit gleichartiges, am seltensten vielleicht nur historisches Interesse. In der Uebereinstimmung mit ihr oder der Abstammung von ihr glaubten Weltansichten der verschiedensten, ja entgegengesetzter Richtung ein Zeugniß eigenen Adels zu sehen; denn nicht nur die unmittelbaren Nachfolger des Philosophen, sondern auch die jüdischen und heidnischen Neuplatoniker, die christlichen Kirchenväter, theistische wie pantheistische Systeme zu Anfang und noch mehr zu Ende des Mittelalters, viele Gestaltungen des modernen Idealismus — sie alle behaupten mit dem Wesentlichen seiner Ansicht im Einklang zu seyn. Es geht nicht an, dies lediglich auf eine willkürliche Deutung der gegebenen platonischen Lehre zurückzuführen; vielmehr mußte die Möglichkeit dazu doch selbst einigermaßen in ihr gegeben seyn. In der That treten schon einem flüchtigen Ueberblicke der Lehre sofort zwei Momente entgegen, denen sie ihre große Bedeutung nicht zum Wenigsten verdankt, durch die sie aber nach verschiedenen Richtungen anziehend und anregend wirken mußte: ihre Kraft und Fülle in begrifflichen Entwickelungen und ihr tiefreligiöses Gepräge. Es ist klar, daß nur eines dieser an sich wohl verträglichen Momente auf Kosten des andern oder ausschließlich betont zu werden brauchte, um den verschiedenartigen Charakter zu erzeugen, welchen Plato's Lehre im Lichte mancher voreingenommenen Forschungen darzubieten scheint, ohne daß wir auf einen inneren Zwiespalt derselben schließen müßten.

Allein gerade objectivere Untersuchungen haben in Würdigung beider Momente einen solchen Schluß oft unvermeidlich gefunden. Während nämlich die Ueberzeugung von einem allwaltenden, überweltlichen Gotte das Ganze der platonischen

Philosophie durchdringt, scheint der wesentlichste Theil des Systemes, die Ideenlehre, vermöge der Bedeutung der Ideen überhaupt und der höchsten Idee im Besonderen diese Ueberzeugung auszuschließen. Es ist bekannt, daß die platonischen Ideen die Stelle Dessen vertreten, was wir Allgemeinbegriffe nennen, sowie daß sie für Plato das wahrhaft Seyende bilden; demnach schien der höchsten Idee der allgemeinste Begriff entsprechen und den obersten Platz in der Welt des Seyenden behaupten zu müssen, ein Gott aber, nach religiöser Weise als persönlicher und fürsorgender gedacht, dem Gebiete des Nichtseyenden anheimzufallen. Hierzu kommen bekannte Aussprüche über jene höchste Idee, die des Guten, welche die Annahme eines Gottes als ersten Princips der Welt theils überflüssig theils widersprechend zu machen scheinen. So ist denn das Resultat bedeutender Forscher entweder eine gänzliche Umdeutung eines Theils*) oder in der That jener Widerspruch der ganzen Lehre gewesen (Zeller, die Philosophie der Griechen 2te Aufl. II, 1. S. 453 f., 606 f.). Um ihn aber denkbar zu machen, wird er auf ihren Gründer ausgedehnt, dessen persönliches Bedürfniß ein religiöses, dessen philosophische Speculation eine irreligiöse gewesen sey (Ebendas. Vgl. Deuschle, die platonische Sprachphilosophie, S. 43). Müßte nun schon dies bei einem Manne befremden, dem, wenn je Einem, Wissenschaft selbst das erste persönliche Bedürfniß war, und in dem wir jene „wahrhaft hellenische Harmonie" (Laches p. 188 d), die er stets verlangte, auch zu finden gewohnt sind, so ist die Entschuldigung, daß der Widerspruch ihm unbemerkt geblieben (Zeller das.), für den Philosophen gewiß nicht ehrenvoller. Er wird also durch eine solche Verallgemeinerung nicht erklärlicher, und muß uns veranlassen, wo er zuerst erschien, in der philosophischen Lehre Plato's ihn aufzusuchen; und zwar muß er, wenn vorhanden, in den beiderseitigen Gipfelpuncten, Gott und der Idee des Guten, am schärfsten hervortreten, deren Verhältniß zu prüfen, hiernach eine lohnende Aufgabe scheinen möchte.

*) Susemihl, die genetische Entwicklung der platonischen Philosophie. Beispiele später.

Freilich hüllt ein dichter Nebel jene Gipfelpuncte ein, und es könnte die wenig lohnende Frucht der Untersuchung werden, daß die Frage für Plato selbst unklar oder ungelöst geblieben. Indessen läßt sich schon aus der Existenz zweier so wichtiger Momente eine Verhältnißbestimmung erwarten, namentlich wenn sie in offenen Widerspruch treten, der nach Plato's eigenen Worten stets zur Verdeutlichung und Lösung zwingt*), und auf diese Wahrscheinlichkeit hin mögen wir die Untersuchung immerhin beginnen.

Aber noch genügte deren Schwierigkeit**), uns zurückzuhalten. Denn nur Eine Stelle spricht sich und zwar in unbestimmter Weise über unsere Frage aus, nur Eine spricht ausdrücklich von der Idee des Guten, aber unter Analogieen und Bildern, welche für sich betrachtet die verschiedensten Deutungen zulassen und auch erfahren haben. Dieses kärgliche Material in Verbindung mit der allgemeinen Schwierigkeit, eine in successiver Entwickelung oder wenigstens nicht systematischer Form vorliegende Lehre zu erforschen und wiederzugeben, könnte noch an zweiter Stelle Grund für uns seyn, — einer im Phädo geschilderten Stimmung gemäß — der vielversuchten und oft mißlungenen Untersuchung überhaupt feind zu werden.

Zuerst nun sind es gerade die vielen mit gleicher Absicht und höchst ungleichen Resultaten besonders in neuerer Zeit gepflogenen Erörterungen der Frage, welche mich ermuthigen; denn wo, wie hier, die möglichen Annahmen fast alle erschöpft und mit Gründen gestützt sind, ist die Entscheidung auch dem minder Geübten erleichtert. Sodann ist bei jeder Schwierigkeit die richtige Methode der Schlüssel zur Lösung, und diese ist

---

*) Rep. VII, 524 d: εἰ μὲν γὰρ ἱκανῶς αὐτὸ καθ' αὑτὸ ὁρᾶται . . τὸ ἕν, οὐκ ἂν ὁλκὸν εἴη ἐπὶ τὴν οὐσίαν . . · εἰ δ' ἀεί τι αὐτῷ ἅμα ὁρᾶται ἐναντίωμα, ὥστε μηδὲν μᾶλλον ἓν ἢ καὶ τοὐναντίον φαίνεσθαι, τοῦ ἐπικρινοῦντος δὴ δέοι ἂν ἤδη καὶ ἀναγκάζοιτ' ἂν ἐν αὐτῷ ψυχὴ ἀπορεῖν καὶ ζητεῖν . ., τί ποτ' ἐστὶν αὐτὸ τὸ ἕν.

**) Die schon im Alterthume sprichwörtlich war (s. K. Fr. Hermann, Index lection. hib. Marburg. 1832/33 S. 3, Anm. 12)

durch das Thema deutlich genug bezeichnet. Es handelt sich um ein Verhältniß, wir müssen also dessen Glieder kennen; wo wir nun den platonischen Gott finden werden, ist noch fraglich, die Idee des Guten aber offenbar unter den Ideen; und da die Ideen den wesentlichsten Theil, wenn nicht (nach Einigen) das Ganze der platonischen Welt bilden, so werden wir zunächst diese uns vorführen müssen. Es handelt sich ferner um die Spitzen des Lehrgebäudes, welche sich, wenigstens wenn es kein schlechtes Bauwerk ist, aus dem Plane und den Principien ergeben, die auch dem übrigen Baue zu Grunde liegen. Wir haben also aus beiden Gründen statt des gefürchteten geringen Materiales das ganze System zur Verfügung, um aus ihm seine Gesetze und nach diesen den uns fehlenden Theil zu erschließen. Dadurch ist nun auch angezeigt, wie wir uns der erwähnten allgemeinen Schwierigkeit gegenüber zu verhalten haben. Zweien schon angedeuteten Ansichten zufolge hat man in dieser Hinsicht zwei verschiedene Wege betreten, den der systematischen und den der genetischen Darstellung. Der letztere, welcher die ganze Geistesentwicklung Plato's, wie sie in den Dialogen vorliegt, von innen heraus zu verstehen sucht, mag für eben diesen Zweck so fruchtbar als schwierig seyn; jedenfalls ist zur Sicherstellung eines einzelnen Punctes der Lehre eher ein Resultat zu hoffen, wenn durch eine inductive, uns eigenthümliche Gedankenbewegung Beweise gesucht werden, die nach jener Methode fast unnöthig scheinen; denn daß sie es nicht sind, lehren ihre einander widersprechenden Ergebnisse. Da aber in den verschiedenen Schriften Plato's eine partielle Aenderung seiner Lehre unläugbar geschehen ist, so bestimmt sich unsere systematische Darlegung näher dahin, daß wir nur die gleichzeitige Lehre berücksichtigen dürfen. Während nun über die Zeitfolge der Schriften wiederum die Meinungen sonst weit auseinandergehen, zeigt sich hier zu Gunsten unserer Untersuchung, daß sie von diesen Meinungsverschiedenheiten unabhängig ist. Die Dialoge nämlich, in denen die wesentlichen Bestimmungen von Gott und der Idee des Guten gegeben sind: die Republik und Timaeus, in zweiter Linie die Gesetze und Philebus*), finden wir in allen Eintheilungen zu den letzten gezählt, d. h. wir haben in ihnen die Lehre nicht nur in der gleichen, sondern auch in der ausgebildetsten Entwickelung vor uns. Dadurch ist der Weg zur Erforschung des gleichzeitigen Systemes geöffnet. Erst wenn wir auf diesem ein Resultat erzielt, wird es von Interesse seyn, die Geschichte der Idee des Guten und des Gottesbegriffes, wie sie in Verbindung mit einander nicht bloß von Plato sondern auch seinen Vorgängern und Nachfolgern entwickelt wurde, kurz zu überblicken, und wenn sich hier der geschichtliche Zusammenhang leicht ergiebt, so wird dies zur Bestätigung des Resultates dienen.

Diesen Hilfsmitteln gemäß werden wir zuerst die früheren Auffassungen, und zwar die älteren vorzugsweise nach ihrer äußeren, die neueren nach ihrer inneren Wahrscheinlichkeit erwägen, sodann aus der Gliederung des Systemes seine Grundsätze und aus diesen als Prämissen unsere Folgerungen ziehen; schließlich einige Betrachtungen über den Zusammenhang der gefundenen mit früheren und späteren Lehren versuchen.

I.

1) Von den unmittelbaren Schülern Plato's hat Speusipp weder das *ἀγαθόν* noch den *νοῦς* mit dem *ἕν* als dem obersten Princip identisch gesetzt (Stobaeus, Eklog. phys. I, p. 58) und das Gute nicht für das Erste sondern für das Resultat der Entwickelung erklärt (Aristot. Metaphys. XII, 7. p. 1072, b, 30), Xenokrates als höchste Principien die *μονός* oder das *ἕν* (mathematische Eins, s. Zeller, plat. Studien, S. 276; Phil. d. Gr. II, 1. 668), welches auch *νοῦς* heißt, und die *δυάς* an-

---

*) An dessen Aechtheit Schaarschmidt's (Sammlung der platon. Schriften, S. 277 f.) Hyperkritik, der auch Ueberweg zuneigt (Grundriß d. Gesch. d. Phil. I. Th., 3. Aufl., S. 116), nicht im Geringsten irre machen kann. S. Georgii in den neuen Jahrb. f. Philologie u. Pädagogik v. Fleckeisen, Bd. 97, Abth. 1, S. 297. Dasselbe gilt vom Sophista, der aber für unsere Zwecke nicht wesentlich ist.

genommen (Stob. Eklog. I, 62). Bei Xenokrates sieht man leicht, daß er eine — wenn auch vom Meister begonnene — Annäherung an den Pythagoreismus durchführte. Für die Treue des Speusipp wird, da sonst wenig Bedeutendes von ihm überliefert ist, die wichtigste Prüfung eben das Ergebniß unserer Untersuchung seyn, der also sein Zeugniß nicht dienen kann.

Aristoteles, der von den seinigen abweichende Ansichten nur zugleich mit der Polemik gegen sie anzuführen pflegt, führt den platonischen Gott nicht an; in der Ideenlehre vermißt er die wirkende Ursache und die Zweckursache*). Platonische Vorträge über das Gute soll er (wie die übrigen Schüler) nachgeschrieben haben; aus den Ueberresten, die Brandis**) davon gesammelt hat, zu schließen, enthielten sie im Wesentlichen das auch in der Metaphysik (XIV, 4) Gesagte, daß nämlich Plato das Gute mit dem metaphysischen Eins identisch gesetzt habe (Brandis a. a. O. 65 f. Zeller, plat. St. 267 f.). In der Nikomachischen Ethik (I, 4) bekämpft Aristoteles die Annahme einer Idee des Guten zuerst unter demselben Gesichtspuncte wie die der Ideen überhaupt (Metaph. I, 9. XIII, XIV), dann aber in ihrem Nutzen für die Ethik; denn der Güter seyen viele, und existirte auch eine Idee, so wäre doch ihre Anschauung unnütz, denn die Beschäftigungen der Menschen gingen auf das Einzelne und zu Verwirklichende. Auch des Aristoteles vielfach bezweifelte Treue werden wir prüfen können, wenn wir ihn nur zur Bestätigung des bereits Erwiesenen benützen.

2) Cicero***) und Seneca (Epist. 58, 65) erwähnen als platonische Principien Gott, die Ideen und die Materie, ohne weiter unsere Frage zu berühren. Ebenso der Geschichtschreiber Diogenes Laërtius (De vitis etc. III, 41); während Stobäus (Eklog. phys. I, p. 64) die Identität des Guten mit der Gottheit berichtet.

---

*) Metaph. I, 9. p. 991, a, 22. p. 992, a, 29.

**) Diatribe acad. de perditis Aristotelis libris de ideis et de bono.

***) Quaest. tuscul. I, 24; acad. quaest. IV, 37; de nat. deor. I, 12 (worüber Krische, Forschungen auf dem Gebiete der alten Philosophie, I, S. 181).

3) In den Vordergrund tritt die Frage bei den Neuplatonikern, für deren Systeme sie im Allgemeinen charakteristisch ist, wie ihre Entscheidung für den Unterschied der einzelnen Systeme. Unter den mehr eklektischen Vorläufern der Neuplatoniker stellen Plutarch v. Chäronea*), Apulejus (De dogm. Plat. I, 5), Alcinous (Isagoge c. 10) ebenfalls als die drei platonischen Principien Gott, die Ideen und die Materie auf, fassen die Ideen als Gottes Gedanken, Gott aber, den Seyenden, Einen, als identisch mit der Idee des Guten.

Von den judaisirenden Platonikern Philo und Numenius behauptet der erstere**), daß der göttliche *νοῦς*, den er auch das Seyende, Eine, Allgemeinste nennt, und dem, sey es als Eigenschaft, sey es als untergeordnetes Wesen, der die Idee enthaltende *λόγος* zur Seite steht, vorzüglicher sey als das Gute an sich. Numenius (Euseb. praepar. evang. XI, 10 und 11) dagegen identificirt seinen höchsten Gott, den *νοῦς*, welcher die Ideen enthält, mit der Idee des Guten und dem Einen; Erzeugniß und Abbild dieses höchsten Gottes ist ein zweiter, der *δημιοῦργος*, welcher die Welt, einen dritten Gott, nach den Ideen als Vorbildern erzeugt.

Der erste Hauptvertreter des eigentlichen Neuplatonismus, Plotin (mit ihm Porphyr***)) lehrt wieder die Verschiedenheit des *ἕν* oder *ἀγαθόν* von dem *νοῦς*. Allein ihm steht dieser (umgekehrt wie dem Philo) unter dem *ἕν* (Ennead. V, 6, 4; 9, 2; VI, 7, 42; 9, 3 etc.), ist zwar gut und gutartig, aber nicht das Gute (Enn. V, 5, 13). Plotin beweist dies sowohl

*) De plac. phil. I, 3, 36 u. 37; I, 10, 2; quaest. conv. VIII, 2, 4. Die Identität: de plac. phil. I, 7, 15 (= *ἀγαθόν*); de *Ἐἰ* ap. Delph. 20 (= *ἕν*).

**) Leg. alleg. II, 1, p. 67: *ὁ θεὸς μόνος ἐστὶ καὶ ἕν* (an einer anderen Stelle, s. u., steht er über dem *ἕν*). Ibid. II, 21, p. 82: *τὸ δὲ γενικώτατόν ἐστιν ὁ θεός, καὶ δεύτερος ὁ θεοῦ λόγος.* De mundi opif. I, 2: *ὁ τῶν ὅλων νοῦς ἐστι κρείττων τε ἢ ἀρετή, καὶ κρείττων ἢ ἐπιστήμη, καὶ κρείττων ἢ αὐτὸ τὸ ἀγαθὸν καὶ αὐτὸ τὸ καλόν.* De vita contempl. I, p. 472: *τὸ Ὂν, ὃ καὶ ἀγαθοῦ κρεῖττόν ἐστι, καὶ ἑνὸς εἰλικρινέστερον, καὶ μονάδος ἀρχεγονώτερον.*

***) Sentent. 15: *ἀνάγκη πρὸ τοῦ νοῦ εἶναι τὸ ἕν.* Vgl. 26.

aus der Sache als aus Plato's Worten. Der Verstand führt nämlich die Zweiheit des Erkennens und des Erkannten nothwendig mit sich, diese Zweiheit setze aber eine ursprüngliche Einheit voraus, welche weder Erkennendes noch Erkanntes, sich selbst genügend, das Gute sey (ib. V, 6, 2). Plato nenne den König des Alls Erzeuger der Ursache (Phileb. 30d); mit der letzteren meine er aber den *νοῦς* und *δημιοῦργος*, welcher die Seele in dem bekannten Kessel mische (Tim. 41d). Mithin stehe, da er mit dem Erzeuger nur das Gute meinen könnne, dieses über dem *νοῦς* und der *οὐσία* (der in ihm enthaltenen Ideenwelt) und dieser wieder über der Seele (V, 1, 8); das Verhältniß der drei Glieder, näher bestimmt, sey Erzeugung des Niederen von und aus dem Höheren (V, 1, 6; ib. 7 u. 8) und Abbildung des Höheren im Niederen (V, 1, 7). So beweist Plotin seine Grundansichten. Einen besonderen Anhaltspunct verlieh die Stelle der platonischen Republik über die Idee des Guten, worin Plotin das Licht der Idee des Guten, die Sonne dem *νοῦς*, das Auge (auch wohl den Mond als *νυκτέρινον φέγγος*) der Seele zu vergleichen scheint (z. B. V, 6, 4. Vgl. Maximus Tyrius, Dissert. XVII, 9. Euseb. Praep. evang. XI, 11). Was dort von der Schwierigkeit und den Wirkungen der Anschauung des Guten gesagt ist, wird Anlaß zur Lehre von der Ekstase (Enn. VI, 7).

Bei Jamblichus (und Damascius) tritt über das *ἕν* oder *ἀγαθόν* noch ein erstes *ἕν*, eine eigenschaftslose, unaussprechliche Ursache (Damasc. de princ. 43). Dem Proclus endlich scheint das Urwesen nicht mehr ganz als *ἕν* und als Ursache zu bezeichnen (Platon. theol. III, 7, p. 101, 131), sondern über alles Stillschweigen unsagbar (ib. II, 11, p. 110), ihm zunächst untergeordnet ist eine Vielheit von Einheiten *), und erst nach diesen folgen *οὐσία*, *ζωή* und *νοῦς* (Instit. theol. 101).

---

*) Instit. theol. 113. Da sie über der Vernunft stehen, vertreten sie das *ἀγαθόν* der Früheren; jede derselben ist Einheit, Güte, Gott: *ὁ θεῖος ἀριθμός ἑνιαῖός ἐστιν, εἴπερ τὸ ἓν θεός· τοῦτο δὲ, εἴπερ τἀγαθὸν καὶ τὸ ἓν ταὐτόν· καὶ γὰρ τἀγαθὸν καὶ θεὸς ταὐτόν· οὗ γὰρ*

Diese kurze Zusammenstellung zeigt, daß wir nicht, wie es oft geschieht, die Identität des Guten mit der Gottheit schlechtweg als Meinung der Neuplatoniker bezeichnen können; wir können dies nur dann, wenn wir von der Vielheit der göttlichen Wesen, wie sie in verschiedener Stufenfolge von Verschiedenen angenommen wurden, absehen. Und dazu sind wir in gewissem Sinne allerdings berechtigt, soferne wir nämlich entweder nach einer durchschnittlichen Meinung suchen, oder das Ueberschwängliche in Abzug bringen, um zu erfahren, welche Meinung Plato's wenigstens zu Grunde liegen könnte. Denn klar ist wohl, daß jenes vielfache Uebereinanderstellen intelligibler Hypostasen, jener νοῦς, der, Anfangs besser als das Gute selbst, allmälig immer tiefer sinkt, jenes an sich Gute, das zuletzt doch nicht mehr gut genug ist, — daß all' dies einzig dem exaltirten Geiste der Schule, unmöglich aber dem des Meisters angerechnet werden kann.

4) Die Kirchenväter, für deren Auffassung der platonischen Lehre die neuplatonische größtentheils maßgebend war, kennen die schon mehrfach gefundenen drei platonischen Principien: Gott, Ideen, Materie (Justin. Coh. ad Graec. c. 29. Damascen. de haer.), fassen — jener durchschnittlichen Meinung der Neuplatoniker entsprechend — den Gott als das höchste Gut*), die Vielheit der neuplatonischen Götter aber beziehen sie oft auf die christliche Trinitätslehre**).

Auch Marsilius Ficinus***), Plato's bedeutendster

μηδέν ἐστιν ἐπέκεινα, καὶ οὗ πάντα ἐφίεται, Θεὸς τοῦτο. Vergl. ibid. 115.

*) Augustin. de civ. Dei VIII, 8, 9. Irenaeus adv. haer. III, 45. Clemens Alex. coh. ad gent. (vol. IV, p. 112 sq. Wirceb.) Eusebius Praep. evang. XI, 11 (dem Numenius zustimmend). Origenes c. Celsum VI, §. 3. Unter den Scholastikern, die Plato freilich nur aus Aristoteles kennen, herrscht dieselbe Ansicht, vgl. Thomas Aquin., Summa theol. I, q. 6, a. 4.

**) Z. B. Cyrill. Alex. contra Julian. VIII. August. conf. VII, 9, 13. Vgl. u. A. Martin, Études sur le Timée de Platon II, 50 f.

***) Theol. Plat. II, 1: ipsa unitas, veritas, bonitas.. ex mente Platonis omnium est principium, Deus unus verusque et bonus. Comp. theol. Pl. (epist. lib. II); excerpta ex Proclo in rempubl. Plat. (ep. l. XI).

Interpret im Mittelalter, und Bessarion*), sein Vertheidiger, behaupten, freilich von neuplatonischen sowohl als scholastischen Lehren bestimmt, die Identität.

5) In der neueren Forschung wurde dieselbe von Tennemann (Gesch. d. Phil. II, 282), Ast (Plato's Leben u. Schriften, 297, 568), Tiedemann (Argum. Plat. dial., 210). Morgenstern (Comment. de Pl. rep., 154), Richter (De ideis Pl., 78 f.), Herbart (Sämmtl. W. v. Hartenstein, I, 248; XII, 78), Schleiermacher (Pl. Werke, II, 134), Ritter (Gesch. d. Phil., 1. Aufl., II, 282 f.; 2. Aufl II, 311 f.), Brandis (Handb. der griech.-röm. Phil., II, 1, 322 f.) u. A. ebenfalls angenommen. Andere, wie Sigwart (Gesch. d. Ph. I, 115) sind unentschieden. Eine gegentheilige Behauptung findet sich meines Wissens zuerst bei Baumgarten-Crusius (De Philebo Plat., 15, nach e. Citate Stallbaum's), dann mit vielem Nachdruck bei Stallbaum**), dessen eigene Ansicht ich jedoch fast nur mit seinen eigenen Worten wiedergeben kann. Die Ideen sind Gedanken Gottes. Die Idee des Guten, welche alle übrigen umfaßt, ist „idea ejus, quod in se ad summam virtutis praestantiam conformatum absolutumque est" oder „species absolutae perfectionis." Gott wird Güte zugeschrieben, „quia boni idea, quae in mente divina versatur, ipsius numine semper fuit reapse consummata et absoluta;" dieses Innewohnen wird weiter so erklärt: „absolutae perfectionis exemplar utique in numine divino inest, ut adeo mens divina boni ideam concipiens suam ipsius virtutem cogitare existimanda sit."

Eine vollständige Trennung nahm v. Heusde***) an, der das Verhältniß als das des Künstlers zum äußerlichen Vorbild bestimmte.

---

*) Adv. calumn. Plat. II, 3 und 4. Auch er hat jene drei Principien; die beiden letzten sind durch Gott erzeugt, welcher die oberste wirkende und Zweckursache ist (5 und 6).

**) Ausgaben des Phileb. (1820), 34, 89; der Rep. (1830), 2. Abth., 71; des Timaeus (1838), 46; des Parmenides (1839), 272; des Philebus (1842), 75.

***) Initia phil. Plat., 1. Aufl. (1831), II, 3, p. 88. 2. Aufl. (1842) p. 363.

Mit gewichtigen Gründen wurde aber diese Ansicht erst gestützt, als K. Fr. Hermann*) mit gewohnter Schärfe und Gelehrsamkeit die Stelle der Republik VI, 505 f., die der hauptsächliche Anhaltspunct der gegnerischen Ansicht stets gewesen war, zum Gegenstand einer Erörterung machte. Von seiner Erklärung derselben jedoch vorläufig absehend, geben wir die Begründung des Verhältnisses aus dem Systeme. Die Ideen seyen notiones menti propositae, Gott aber selbst mens; dies gehe hervor aus den im Philebus aufgestellten vier Gattungen des Seyenden, worin die Ideen als die Objecte erschienen, die der Verstand erkennt und nach denen als Vorbildern er seine Handlungen richtet. Ferner seyen die Ideen unbeweglich, das Wesen des Geistes Bewegung, Gott also unmöglich eine Idee. Seine Güte sey, wie die alles Anderen, als Theilhaben an der Idee des Guten zu denken.

Hiergegen vertrat Herm. Bonitz (Disputationes platonicae duae, 1837, I, de idea boni) wieder die Identität. Die Ideen seyen notiones essentia praeditae und zwar durch Theilhaben an der Idee des Seyns (essentiae), welche durch die Idee des Guten mit ihnen verbunden werde. Die Identität dieser mit dem Gotte gehe aus den völlig gleichen Prädicaten hervor: beide seyen „ens aeternum, immutabile, perfecte et absolute bonum; deus auctor omnium quae fiunt et gignuntur, idea boni efficit, ut ea sint, quae sunt et cognoscuntur," beide exemplar für den Menschen. Bezüglich der Gattungen des Phil. bemerkt Bonitz, es könne eine Idee von den übrigen specifisch verschieden, also Gott, obwohl wirkend, dennoch Idee seyn. Im Uebrigen aber sey er den anderen Ideen vollständig gleich; denn nach Soph. 248 e komme auch diesen Bewegung und Seele zu, ja der Geist überhaupt sey Idee.

Hermann vertheidigte seine Ansicht (Vindiciae disputationis de idea boni ap. Plat., Marb. 1839) im Wesentlichen durch

---

*) Index lectionum hib. Marburg. 1832/33; abgedruckt in Jahn's Archiv, I, S. 622 f. An ihn schließt sich Erdtmann, Platonis de rationibus quae inter deum et ideas intercedunt doctrina, diss. Monast. 1855, an.

verstärkte Betonung der vorigen Gründe*). Nach Bonitz's Auslegung des Phil. könne eben Gott nicht zu den Ideen gerechnet werden, sondern stehe neben ihnen, oder die Ideen müßten Götter seyn, alle übrigen Götter von Einem erkannt und mit einem Dritten verbunden werden rc.; und daß die Seele Idee sey, folge nicht daraus, daß diese Seelen genannt werden. — Beides scheint richtig bemerkt. Es hat etwas Sonderbares, eine Idee als Art der anderen als coordinirte Art gegenüberzustellen, da dann die Gattung nicht wohl anzugeben ist. Doch handelt es sich hier offenbar mehr um engeren und weiteren Gebrauch des Wortes Idee, mit welcher Unterscheidung die Schwierigkeit beseitigt würde. Was nun die Beweise Bonitz's für die Identität betrifft, so ist überhaupt aus noch so vielen gleichen Prädicaten ein Schluß unmöglich, sie müßten denn nur Einem zugeschrieben werden können, was nicht näher untersucht ist. Hingegen muß (mit Bonitz) Hermann der Vorwurf einer höchst gekünstelten Deutung der Stelle gemacht werden, deren Erörterung gerade sein Zweck war. Wenn es dort heißt, die Idee des Guten sey Ursache des Seyns und der Erkenntniß, so erklärt Hermann: weder Gottes Verstand noch die Ideen (das Seyn) hätten eine Anwendung ohne sie, macht sie also zu einem *συναίτιον* wie die Materie. Ferner warum steht sie „noch über dem Seyn an Würde und Erhabenheit?“ Hermann: sie ist das *ἕν*, welches nach Parmenides nicht mit dem *ὄν* identisch ist. Woher die Güte Gottes als Beweggrund zur Weltschöpfung (Tim. 29 e: *δι' ἥντινα αἰτίαν*)? Hermann: consilium ac rationem mundi creandi ab idea boni repetiit.

Trendelenburg**) unterstützte die Auffassung Stall-

---

*) Ich übergehe den Streit über die Ideen, da er nicht ihr Wesen sondern ihre Begründung angeht (cogitantur, quia sunt — sunt, quia cogitantur, eine Unterscheidung des quia scheint übrigens Beides zu vereinigen).

**) De Philebi consilio (1837), 17 f., Anm. 42 (mit einer Kritik der Hegel'schen Auslegung; über die einiger Hegelianer s. Hermann, Vind. 5). Hiermit übereinstimmend die Berliner Dissertationen: Möller, theodiceae Pl. lineamenta (1839), 7 f. („deum ideam boni tanquam absolutam sui ipsius qualitatem in se ferre“); Kühn, de dialectica Pl. (1843), 4, 32 f., 40 f.

baum's: „Boni idea non ita a Deo segreganda est, quasi aliud sit et singulare, sed universam divini numinis naturam ita continet et prope exhaurit, ut, quidquid ipse per se est, boni idea exprimatur ... Dei natura ita b. id. continetur, ut ad hanc referat omnia." Die Ideen sind auch ihm Gedanken Gottes, insbesondere die Vorbilder und Zweckursachen der Welt, und die übrigen Ideen haben wieder ihren Zweck in der Idee des Guten.

Martin (Etudes sur le Timée de Platon (1841), I, 9 f., II, 60), dem die Ideen selbständig sind, findet doch, da die Id. d. G. in Gott vollständig verwirklicht sey, ebenfalls eine reale Trennung wie zwischen Dingen und Ideen zwischen ihnen nicht nothwendig, also möglich, daß sie sich in einer einzigen Wesenheit vereinigen. „En un mot, la réalité vivante de la perfection suprême est-elle distincte de son modèle, ou bien sont-ce les deux points de vue d'une seule et même chose? Voilà toute la question."

Ueberweg (Rhein. Museum für Philologie. Neue Folge. IX. Jahrg. 1854. S. 69) vertheidigt wieder die völlige Identität, indem er dem oben bemerkten Mangel der Bonitz'schen Beweise durch folgenden abzuhelfen sucht: die Güte Gottes ist nach platon. Principien nur denkbar, wenn er entweder selbst die Idee des Guten oder ihr Abbild ist. Im letzteren Falle aber würde er der Idee nachstehen, was Plato läugnet (ὁ θεός ... πάντη ἄριστα ἔχει). Folglich ist er die Idee des Guten selbst. Hier ist nur zu Viel und dadurch wieder Nichts bewiesen. Denn ebenso könnte man allen Ideen gegenüber verfahren,

(Ideen Elemente des göttl. Wesens, 48); Orges, comparatio Pl. et Aristot. librorum de republ. (1843), 15 f. („Id. b. summa Dei similitudo, ipse spiritus divinus, qui et rebus et hominibus inest ... ipsa Dei natura"); ferner Schürmann, de deo Pl., diss. Monast. 1845, 9 f. („summam mentis divinae virtutem"). Wehrmann's Plat. de summo bono doctrina ist mir nur zur Hälfte (als Dissertation 1843) zugänglich gewesen. In allen diesen Ausführungen ist erstlich eine Unbestimmtheit zu bemerken, die stets zwischen Geist, Wesenheit, Gedanke &c. schwankt und sich auch meist in einem tanquam, prope äußert, zweitens eine der Hermann'schen ähnliche Deutung der Stelle der Republik.

die irgend eine Vollkommenheit bezeichnen z. B. des Lebens, der Schönheit, Gerechtigkeit ꝛc., denn auch hierin kann Gott nichts Anderem nachstehen, folglich wäre er mit allen diesen identisch.

So haben wir in diesem Abschnitt alle drei möglichen Ansichten gefunden: der völligen Identität, der partiellen Identität, der völligen Nichtidentität.

6) In der neuesten Zeit ist die Ansicht der Identität fast durchgängig*) herrschend geworden, sowohl in den allgemeineren geschichtlich-philosophischen Werken von Strümpell (Gesch. der theor. Phil. d. Gr. 1854, 131 f.), Preller (Historia phil. graecae et rom. 1857, 249 f.), Zeller (Phil. d. Gr. II, 1. 1859, 448 f., mit ausführl. Begründung), Brandis (Gesch. der Entwickelungen d. griech. Phil. 1862, S. 328 f.), Erdmann (Grundriß d. Gesch. d. Ph. 1866, I, 97, vgl. jedoch 102), Ueberweg (Grundriß d. Gesch. d. Ph., I [3. Aufl. 1867], 123) u. A., als in den (genetischen) Darstellungen der platonischen Philosophie von Steinhart**), Susemihl***), Michelis†), Ribbing††). Bei Susemihl gestaltet sie sich jedoch seiner Auffassung des übrigen Systemes zufolge zur Inhärenz der Idee des *νοῦς* und der der *οὐσία* in der Idee des

---

*) Mir ist nur Rettig, *αἰτία* im Philebus die persönl. Gottheit des Plato (Ankündigung d. Sommervorles. zu Bern 1866), als Gegner derselben bekannt; er theilt Trendelenburg's Ansicht.

**) Einleitungen zu H. Müllers Uebersetzung von Pl. sämmtl. W. (1850—59), III, 311. 455. 561; IV, 393 ꝛc. 643 f. 659; V, 210 f. 689; VI, 87; VII, 1. Th, 300.

***) Genetische Entwicklung der platon. Philos. (1855) I, 324. 360. 400. 444 f.; II, 17. 195. 336. 345. Vgl. Schneidewin's Philologus, 5. Jahrg., 3. Heft, 398. Prodromus plat. Forschungen (1852) 13. 88. Jahn's Jahrb., 68. Jahrg., 598; 70. Jahrg., 146.

†) Die Philos. Platon's in ihrer inneren Beziehung zur geoffenbarten Wahrheit (1859) I, 119. 220; II, 22. 42. 82. 119. 278. 291.

Die Ansicht Becker's (d. phil. System Pl. in seiner Beziehung zum christl. Dogma, 1862, S. 60 f.; „göttliche Uridee" 161) ist mir nicht ganz klar.

v. Stein (Sieben Bücher zur Gesch. d. Platonismus, 1864, II, 373) findet selbst Unklarheit u. Widerspruch in der Sache.

††) Genet. Darstellung d. plat. Ideenlehre (aus dem Schwedischen 1863—64) I, 340 f. 353 f. 370, bes. 375 (Anm. 739).

Guten, bei Ribbing zur Läugnung der wissenschaftlichen Realität des platonischen Gottes. Das Gleiche ergiebt sich für Cohen*), dem die Idee des Guten ursprünglich ein „regulativer Begriff für die reflectirende Urtheilskraft“ ist.

Was an den Resultaten wie an der Methode dieser Forschungen für unsere Frage bedenklich scheint, ist in der Einleitung erwähnt worden. Die vielseitigen Gesichtspuncte dagegen, die sie eröffnen, ihr tiefer Blick in's Ganze, ihre Gründlichkeit im Einzelnen: all' dies ist so anerkannt, daß hier der Hinweis darauf genügen möge, um, wenn die Uebersicht auch dieser jüngsten in der That nur nominell gleichen Resultate zu entmuthigen scheint, doch einen erneuten Versuch zu rechtfertigen.

II. 1.

In doppelter Rücksicht fanden wir es nöthig, die Weltanschauung Plato's wenigstens ihrem wesentlichen Theile nach zu überblicken. Aus denselben Gründen beginnen wir mit den Ideen. Denn was uns als wesentlichster Bestandtheil des Systems schon bei oberflächlicher erster Betrachtung entgegentritt, sind eben sie; und wenn wir andrerseits das Lehrgebäude vom Fundamente bis zu den Spitzen dem Meister nachbauen wollen, müssen wir zu Grunde legen, was er zu Grunde legte, und dies sind bekanntlich wieder die Ideen.

Wir finden sie in Plato's Schriften als Erzeugnisse einer Polemik, welche, den Einen Zweck verfolgend, die Möglichkeit wissenschaftlicher Erkenntniß darzuthun, sich nach drei Richtungen vorzugsweise wendet. Zuerst gegen die eleatische Lehre, nur das Seyende sey, es sey Eines und unbewegt, Denken und Seyn aber identisch. Hieraus entwickelt Plato Widersprüche**), z. B. daß Einheit und Seyn dennoch eine Zweiheit seyen; insbesondere aber, daß eine falsche Erkenntniß unmöglich werde;

*) Die platonische Ideenlehre psychologisch entwickelt, in d. Zeitschr. f. Völkerpsychologie u. Sprachwiss. v. Lazarus u. Steinthal, IV (1866), S. 451. Welch' haarsträubende Deutung hiernach die Stelle der Rep. erfahren muß, s. S. 452 u. 453.

**) Sophista 244b — 245e und im zweiten Theil des Parmenides.

denn diese beziehe sich in gewissem Sinne auf das Nichtseyende, welches also in diesem Sinne seyn müsse (Soph. 241a — 242d). Ist aber falsche Erkenntniß unmöglich, so ist jede wahr, also auch die einander widersprechenden. Der Satz des Widerspruchs aber scheint Plato unbedingt anzuerkennen und Bedingung aller Erkenntniß *). Mithin ist alle Erkenntniß unmöglich. Aus der heraklitischen Lehre ferner, Alles sey im beständigen Werden, folgert er, daß von keinem Dinge Etwas behauptet werden kann, da im nächsten, ja im selben Augenblick Anderes von ihm gilt, sowie daß auch die Erkenntniß selbst gleich allem Uebrigen sich fortwährend verwandelt, im nämlichen Moment eine andere ist, sich also wiederum widerspricht (Cratylus 439c f.; Theaet. 181c f.). Ebendahin scheint ihm die sophistische Lehre zu führen, daß der einzelne Mensch das Maß der Wahrheit sey, weil dann die Behauptungen eines Jeden, also auch Derer, welche Entgegengesetztes behaupten, wahr sind (Theaet. 152a f.). Aus diesen Consequenzen schließt Plato zurück: es kann weder Alles in steter Bewegung und Veränderung noch Alles in steter Ruhe und Selbstgleichheit seyn. Das stets sich Aendernde war in der sinnlichen Welt gegeben; das bei allem Wechsel der Dinge stets unverändert Beharrende fand er, wie schon Sokrates, in den allgemeinen Begriffen. Da dieselben zugleich allen Subjecten gemeinsame Objecte, das Maß der Erkenntniß bilden, so war auch deren Möglichkeit mit ihnen gegeben. Aus den näheren Bestimmungen dieser Objecte, die er Ideen nennt, heben wir folgende als wesentlich hervor: sie sind der Zahl nach viele, und zwar giebt es für alles mit demselben Namen Bezeichnete je Eine (Rep. X, 596a, 597c), jede ist aber gegenüber den vielen unter ihr begriffenen Einzeldingen eine Einheit (Philebus 15a, b), einfach (Phaedo 78d), nicht in einem Anderen, sondern für sich und mit sich (Symposion 211a f.), Nichts in sich aufnehmend und selbst in Nichts eingehend (Timaeus 52a), das wahrhaft und völlig Seyende (Soph. 248e; Rep. X, 597d); ferner gestalt- und farblos (Phaedrus 247c), unräumlich, un-

*) Theaetetus 188a; Phaedo 103b; Soph. 241b, 249d, e, 256a; Rep. IV, 436b, c; X, 602e.

zeitlich ewig (Symp., Phaedr. l. c.), also kurz übersinnlich. Ihre Erkenntniß geschieht, da der Sinn nur Sinnliches bietet, durch die Seele für sich allein, und zwar hat diese, da wir zur Beurtheilung des Einzelnen die Idee schon mitbringen (Phaedo 75b), sie vor dem jetzigen Leben geschaut (Phaedr. 246e f., 250a), alles Lernen in diesem ist Erinnerung *), nach dem Tode aber hofft der Philosoph sie wieder zu schauen (Phaedo 66e).

Aus der Erkenntniß ergiebt sich ein weiteres Prädicat. Da nämlich das Erkennen ein Thun, also das Erkanntwerden ein Leiden, jedes Leiden aber ein Bewegtwerden ist, so müssen sie in Bewegung, und zwar zunächst in passiver Bewegung seyn**). Hierzu fügt aber Plato einen zweiten Grund für die Ideenbewegung: das völlige Seyn, die Vollkommenheit der Ideen***). Die hieraus folgende Bewegung ist jedoch eine andere als die vorige, wie sich aus den damit verbundenen weiteren Prädicaten des Lebens, der Beseelung und des Denkens ergiebt; denn das Denken wie das Leben ist nach Plato Selbstbewegung (Tim. 36e f.; Leg. X, 895c). Den Ideen kommt also sowohl im passiven als im activen Sinne Bewegung zu.

Dadurch scheint sich eine Schwierigkeit zu ergeben. Bewegung gerade war es, was am Sinnlichen die Erkenntniß hinderte und die Annahme der Ideen veranlaßte. Diese hätte also gar keinen Sinn, die Ideen wären zugleich Bedingung und Hinderniß des Erkennens, zugleich bewegt und unbewegt.

---

*) Meno 82c f., Phaedo 72e f., Phaedr. 249c. Diese Lehre schließt sich zu eng an die übrigen aufgeführten, sowie an die Unsterblichkeitsbeweise an, als daß sie nicht ebenfalls für Plato's wissenschaftliche Ueberzeugung gelten müßte.

**) Soph. 248d, e: ὥστε τὴν οὐσίαν .. καθ᾽ ὅσον γιγνώσκεται, κατὰ τοσοῦτον κινεῖσθαι.

***) ibid.: τί δὲ πρὸς Διός; ὡς ἀληθῶς κίνησιν καὶ ζωὴν καὶ φρόνησιν ἦ ῥᾳδίως πεισθησόμεθα τῷ παντελῶς ὄντι μὴ παρεῖναι, μηδὲ ζῆν αὐτὸ μηδὲ φρονεῖν, ἀλλὰ σεμνὸν καὶ ἅγιον, νοῦν οὐκ ἔχον, ἀκίνητον ἑστὸς εἶναι; κ. τ. λ.

Plato, der diese Schwierigkeit wohl bemerkt (Soph. 249b f.), verfolgt sie nach der Richtung, wie Etwas überhaupt zugleich bewegt und unbewegt seyn könne; wir suchen aber seinen sonstigen Angaben zu entnehmen, wie die Ideenbewegung speciell zu denken sey; denn es ist offenbar nicht nothwendig, daß die Ideen in demselben Sinne bewegt und unbewegt seyen. In der That unterscheidet Plato mancherlei Arten von Bewegungen (z. B. Theaet. 181c, d; Leg. X, 893 f.), ja ihre Zahl ist ihm nicht geschlossen (Rep. VII, 530d), besonders aber stehen sich gegenüber sinnliche und geistige (Phaedr. 245c, d; Leg. X, 894b—e), von denen die letztere eine Vollkommenheit ist*), die erstere gerade das unvollkommene Seyn und Erkanntwerden des Sinnlichen bedingt. Der wesentliche Unterschied beider ist erstens, daß die geistige ein Bewegen, die sinnliche ein Bewegtwerden (Phaedr. ibid.; Leg. X, 894b — e), zweitens, daß die sinnliche ein Entstehen und Vergehen ist oder es herbeiführen kann, die geistige nicht**). Wie verhält sich nun zu diesen die Ideenbewegung? Nach den oben gehörten Bestimmungen wird den Ideen wie dem Sinnlichen passive Bewegung im Allgemeinen zugeschrieben, sie unterscheiden sich aber von diesem durch die Unmöglichkeit der Corruption***); mit den Seelen dagegen haben sie nebst dieser Unmöglichkeit die active Bewegung im Allgemeinen gemeinsam, unterscheiden sich aber von ihnen durch die Unfähigkeit, Anderes zu bewegen; denn weder an der vorhin betrachteten noch an irgend einer anderen Stelle wird ihnen die

---

*) Leg. X, 894d: *πασῶν ἐῤῥωμενεστάτην*, 895b: *πρεσβυτάτην*. XII, 966e und die flgd. Anm.

**) Leg. X, 894c: *ἐναρμόττουσαν πᾶσι ... καλουμένην δὲ ὄντως τῶν ὄντων .. κίνησιν*. Die Seele wird durch kein Thun oder Leiden durch keine Veränderung vernichtet, wie dies oft beim Sinnlichen, immer bei den Zahlen geschieht: Crat. 432a; Rep. II, 381a, X, 608d f.; Phaedo 102a f.; Leg. X, 894a.

***) Phil. 15a; Tim. 52a: *ἀγέννητον καὶ ἀνώλεθρον*. Dieser Unterschied rührt eben daher, daß die Bewegung der Ideen nur durch den Erkenntnißact geschieht, durch welchen auch die sinnlichen Dinge, soweit bei ihnen von Erkenntniß gesprochen werden kann (s. u.), keine Veränderungen oder Corruption erleiden.

Fähigkeit hierzu zugeschrieben*), während sie ein nothwendiges Prädicat der Seelen ist**). Den Ideen kommt also nur die Selbstbewegung zu, in welcher das Leben und das Denken besteht, nicht aber bewegende oder wirkende Kraft in Bezug auf Anderes.

Gegen diese Auffassung der Ideenbewegung könnte man vielleicht einwenden, daß den Ideen in der (S. 17, A. 3) angeführten Stelle kurzweg Seele beigelegt wird, daß sie also mit den Seelen auch alle Prädicate theilen, mit ihnen gleichartig seyn müssen. Hiergegen muß an die Gewohnheit Plato's erinnert werden, manche Bezeichnungen, namentlich solche, die eine Vollkommenheit ausdrücken, für Verwandtes, wenn auch nicht völlig Gleichartiges zu gebrauchen; z. B. nennt er *θεός* nicht bloß die oberste Gottheit, den Gott, sondern auch in einem weiteren Sinne die Welt- und die Gestirnseelen (Leg. X, 899 b; Tim. 34 b, 40 c, d), sowie die Ideen (Tim. 37c: *ἀϊδίων θεῶν*). Ganz ähnlich nennt er die Ideen Seelen in einem weiteren Sinne, sofern ihnen nämlich Selbstbewegung zukommt, während Wirkung und Anderes den Seelen im engeren Sinne vorbehalten bleibt. Wir werden aber der Klarheit halber im Folgenden die Ideen stets den Seelen schlechtweg gegenüberstellen.

Man könnte ferner einwenden, daß, wenn die Ideen denkende Wesen sind, ihnen jedenfalls Objecte ihres Denkens entsprechen, welche sie nach Plato's oben berührter Anschauung

---

*) Zeller, Phil. d. Gr., II, 1. 437 führt Soph. 247d an, wo das Seyende als „Vermögen, Kraft" (*δύναμις*) definirt werde. Plato hat es aber an derselben Stelle näher bestimmt: *εἴτ' εἰς τὸ ποιεῖν.. εἴτ' εἰς τὸ παθεῖν*, 248c: *πάσχειν ἢ δρᾶν*, und sofort 248 d f. angegeben, welches von beiden Vermögen er den Ideen zuschreibe: *τὴν μὲν ψυχὴν γιγνώσκειν, τὴν δ' οὐσίαν γιγνώσκεσθαι· .. τὸ γιγνωσκόμενον ἀναγκαῖον αὖ ξυμβαίνει πάσχειν*. Nur der *γένεσις* wird 248c *δύναμις τοῦ πάσχειν καὶ ποιεῖν* und zwar von den Gegnern Plato's zugeschrieben (von ihm selbst nicht, s. u.). Vgl. über diese Bedeutung von *δύναμις* Theaet. 156 a (*δύναμιν δὲ τὸ μὲν ποιεῖν ἔχον, τὸ δὲ πάσχειν*), Rep. VI, 509 b (*δύναμις τοῦ ὁρᾶσθαι* in ausdrückl. Analogie mit den Ideen).

**) Davon später. Einstweilen vgl. Phaedr. 245c; Leg. X, 896a: *μεταβολῆς τε καὶ κινήσεως ἁπάσης αἰτία ἅπασιν*.

wenigstens durch ihr Denken bewegen, wenn sie auch sonst keine wirkende Macht auf sie üben. Dies ist richtig, nur wird man nach solchen Objecten für die Ideen bei Plato vergeblich suchen, und der Grund davon kann nur darin liegen, daß sie selbst ihre Objecte sind. Darum wird nicht Erkennen (γιγνώσκειν) als Relation zu anderen Wesen, sondern Denken (φρονεῖν) als inneres Prädicat ihnen beigelegt. Die ganze Bedeutung der Ideen in der platonischen Welt und ihre teleologische Stellung zu anderen Wesen bezüglich der Erkenntniß ist also, wie wir schon zu Anfang sahen, die der Erkenntnißobjecte für die Seelen, und es bleibt dabei: Seelen und Ideen sind nur verwandt (Phaedo 79b; Rep. VI, 490b; X, 611e), d. h. die Ideen sind die Eine Art geistiger Wesen, nämlich die erkannten, die erkennenden Seelen aber die andere (Soph. 248d: τὴν μὲν ψυχὴν γιγνώσκειν, τὴν δ' οὐσίαν γιγνώσκεσθαι).

Wir haben die Ideen ihren inneren Bestimmungen nach betrachtet und sie als immaterielle, durch ihr Leben und Denken sich selbst bewegende Wesen gefunden. Schon hierbei sind wir genöthigt worden, auch auf ihr Verhältniß zu anderen Wesen einen Blick zu werfen. Welche Stellung sie nun in dieser Beziehung in der platonischen Welt einnehmen, darüber sind sehr verschiedenartige Ansichten geltend gemacht worden, von denen wir hier die drei Hauptgruppen prüfen, indem die Ideen entweder als Bestimmungen, insbesondere Vorstellungen in der Seele oder als Bestimmungen in dem Einzelnen überhaupt (bez. dieses in den Ideen) oder als getrennt von allem Einzelnen existirend gedacht werden*).

Daß man sie als Eigenschaften, Theile, Momente, Wesensbestimmungen oder Gedanken irgend eines, auch des göttlichen**), Geistes fasse, ist von Plato ein für allemal verboten,

*) Es wäre leicht aber unnöthig, die Disjunction der möglichen Ansichten zu vervollständigen.

**) So die Neuplatoniker (außer Longin), in neuerer Zeit Stallbaum (in Tim. 40), Trendelenburg (de Phil. cons. Anm. 42), und, wenn ich recht verstehe, Steinhart (Einl. VI, 87; vgl. V, 214; VI, 240) und Michelis

da er sie in nichts Anderem seyn läßt. Daß sie insbesondere nur subjective Gedanken seyen, widerlegen specielle Aussprüche*). Wie könnten auch selbstdenkende Wesen, als die wir sie fanden, nur in Gedankenform seyn, oder Gedanken selbst denken (vgl. Stallbaum in Soph. 41)? Dagegen spricht ferner die Art, wie die Ideen erkannt werden, das Schauen**), welches nicht in eine Reflexion auf die eigenen Gedanken umgedeutet werden kann; ganz entscheidend aber der Zweck, den die Annahme der Ideen erfüllen soll. Denn wenn die Wahrheit nicht zur subjectiven und dadurch unmöglich werden soll, muß jede Idee als eine einzige der gemeinsame Gegenstand des Erkennens seyn. Es nützt Nichts, eine Gleichheit der subjectiven Begriffe in Allen anzunehmen; denn da wir sie nicht aus den Allen gemeinsamen Sinnesobjecten abstrahiren (S. 17 mit Anm. 1), wo läge die Bürgschaft ihrer Gleichheit außer in der Einheit? Nach dieser Ansicht aber würde jede Idee nothwendig vielmal oder in vielen Theilen existiren müssen, darum versichert Plato nicht umsonst ihre Einheit und Einfachheit (S. 16) und beweist dadurch, daß er sie nicht für subjectiv gehalten.

Oder sollten sie unserem Geiste (wie auch den Dingen) durch Gott eingeprägt werden, und, wenn auch jede in vielen Exemplaren verbreitet wäre, doch deren Gleichheit durch Gottes Fürsorge verbürgt seyn†)? oder sollten wir Alle sie in Gott schauen? — lauter Meinungen, die Plato fremd sind und keinen Halt in seinen Worten haben††).

(Philos. Pl. II, 158. 163. 278. 282); ferner Fr. Hoffmann (Gottesidee des Anax., Sokr. u. Pl. 1860), Rosenkranz (pl. Ideenl. 1868) u. A.

*) Parmen. 132b; Symp. 211a (οὐδέ τις λόγος οὐδέ τις ἐπιστήμη).

**) Was auch dem göttlichen Geiste zugeschrieben wird: Phaedr. 247d; Tim. 29a.

†) Michelis erkennt (I, 274) den Widerspruch (freilich nicht als seinen eigenen) an, daß wir die Ideen zur Erkenntniß der Dinge schon haben, sie aber doch nur aus der Wahrnehmung derselben abstrahiren.

††) Dies gilt eigentlich von der ganzen Ansicht; gegen frühere Citate s. Zeller, Phil. d. Gr., II, 1. 425 f., der besonders mit Recht bemerkt, daß die

Aus der Widerlegung dieser Gruppe von Auffassungen wollen wir nun auch einen positiven Nutzen ziehen. Plotin hat diesesmal einen scharfen Blick gethan. Er wendet uns nämlich ein (Ennead. III, 9, 1), in den Ideen allein liege die Wahrheit; seyen sie aber nicht selbst im göttlichen Verstande, so könnten es nur Bilder (εἴδωλα) von ihnen seyn, in denen die Wahrheit nicht läge, und da Gott offenbar die Erkenntniß der vollkommenen Wahrheit zugeschrieben werden müsse, müßten die Ideen selbst seinem Verstande innewohnen. Diesen Schluß haben wir falsch gefunden, müssen also auf die Falschheit einer Prämisse schließen. Da nämlich allerdings die Berechtigung ihrer Annahme überhaupt in den Forderungen nicht bloß der göttlichen, sondern zunächst unserer Erkenntniß liegt, so müssen sie, wie sie wirklich sind und soweit sie sind, erkennbar seyn, und es genügt nicht, daß s. z. sg. Erkenntnißbilder von ihnen, sondern nur, daß sie als völlig erkannt im Geiste sind*). Die Ideen sind also auch im Geiste, und zwar in der Form subjectiver Begriffe, welche die Ideen in ihrem objectiven Seyn vollständig decken (wenigstens decken können**). Darum macht Plato zwischen subjectiven Begriffen und den objectiven Ideen auch keinen sprachlichen Unterschied (S. Zeller 421).

Rep. X, 597b f. erwähnte Ideenschöpfung nicht mit einer Gedankenproduction zu verwechseln sey; wenn daher in neuester Zeit Michelis (II, 243) dieselbe so deutet, daß Gottes Gedanken (Ideen) sich in den Dingen ebenso realisirten wie die des Künstlers in seinen Werken, so rührt diese Gegenüberstellung nicht von Plato her; vielmehr nach ausdrücklicher Errlärung desselben schafft Gott die Ideen, wie der Künstler sein Werk, und realisirt dieser nicht seine Gedanken, sondern bildet ein äußeres *παράδειγμα* ab. Die Stelle ist also gerade ein Gegenbeweis.

*) Bezüglich der Namen der Dinge hebt Plato Crat. 432b—e hervor, daß sie nicht vollkommen die Dinge bezeichnen, weil sie sonst diese selbst, also Alles doppelt seyn müßte; vielmehr seyen sie nur Abbilder der Dinge. Wenn wir daher, fährt er 439a fort, die Wirklichkeit und Wahrheit erforschen wollen, ist es nothwendig, sie nicht aus den mehr oder minder treuen Bildern, sondern aus ihr selbst zu erforschen, — und geht zu den Ideen über, in denen er also das Wirkliche, wie es wirklich ist, zu erkennen glaubt. Ganz ähnlich Phaedo c. 48. (*χρῆναι εἰς τοὺς λόγους καταφυγόντα ἐν ἐκείνοις σκοπεῖν τῶν ὄντων τὴν ἀλήθειαν.*)

**) Denn es giebt ein allmäliges Aufsteigen zur reinen Erkenntniß (Phaedr., Symp.)

Wir gehen zur Prüfung einer zweiten Hauptansicht über, daß nämlich die Ideen in dem Einzelnen oder dieses in den Ideen sey, und zwar betrachten wir sie zuerst in der letzteren scheinbar ferner liegenden Form, in der sie die kräftigste Vertretung, obgleich nur in der Gegenwart, gefunden hat. Darnach sind die Ideen das einzig Wirkliche, die Dinge nur ihre Erscheinung oder Form, ihnen immanent oder inhärirend*). Wir müssen auch diese Ansicht verwerfen aus folgenden Gründen.

a) Daß wenigstens die erkennenden Seelen nicht Ideen und daß sie von ihnen real getrennt sind, haben wir soeben gesehen**), die Ideen sind also schon nicht mehr das einzig Seyende; wenn ferner Plato sie das wahrhaft und völlig Seyende nennt, so heißt dies ja gerade, daß sie nicht das einzige sind, was er denn auch niemals ausspricht. Vielmehr führt er

b) im Philebus 23c f. vier, im Timaeus 52a drei „Gattungen des Seyenden" auf, von denen nur Eine anerkanntermaßen die Ideen sind, und zwar sind die übrigen nicht in dem Einen Seyn der Ideen vereinigt, sondern diese von den übrigen real getrennt, denn an der letzteren Stelle werden sie ausdrücklich dadurch charakterisirt, daß sie Nichts in sich aufnehmen. Dadurch wird denn auch direct die Inhärenz geläugnet, denn dann nehmen sie auch die Dinge nicht in sich auf, gleichviel in welcher Form.

c) Ganz unmöglich wird diese Ansicht dadurch, daß sie in Plato's Namen das Werden (Entstehen und Vergehen) der Dinge entweder nur höchst gezwungen***) oder eigentlich gar nicht er-

---

*) Zeller a. a. O. 469, 471 f.; in extremer Weise Deuschle, platon. Sprachphil. 27, plat. Mythen 3; Susemihl, genet. Entw. I, 352. 466; II, 408 ꝛc., und Ribbing, genet. Darstellung d. pl. Ideenl. I, 262. 333. 360 (dessen Hauptunterschied von Zeller darin besteht, daß ihm die Ideen nicht mehr hypostasirte, sondern reine und „flüssige" Begriffe sind: 319. 322 f.).

**) Ersteres wird von Zeller 422, A. 3. (1. Aufl. 194 f. mit Zustimmung Susemihls II, 160) selbst nachgewiesen.

***) Susemihl II, 342: „die Negation der Negation"; Ribbing I, 209: „γένεσις ist die phänomenale Form oder das sinnliche Daseyn der κοινωνία" d. i. (I, 322 f. 328) der wechselseitigen Bestimmung der Ideen. Deuschle, pl.

klären, vielmehr läugnen*) oder in die Ideen verlegen muß**). Plato will es gerade aus der Ideenwelt ausgeschlossen wissen (Tim. 52a), aber auch nur aus dieser, erkennt es sonst nicht nur an, sondern bestimmt sogar das Verhältniß desselben zu den Ideen, demzufolge sie Ursachen der *γένεσις καὶ φθορά* sind: Phaedo 96 f. (s. S. 30, 31)***), Phil. 25e (*μιγνὺς ταῦτα, γενέσεις τινὰς ἐφ' ἑκάστων συμβαίνειν*). Auch die Seelen und der *νοῦς* sind (in einem anderen Sinne) Ursachen des Werdens: Leg. X, 891e: *πρῶτον γενέσεως καὶ φθορᾶς αἴτιον ἁπάντων*, Phil. 26e f. Plato will also sicherlich das Werden erklären; durch dessen Läugnung vollends würde er der Einseitigkeit der Eleaten anheimfallen, die er eben durch die Ideen bekämpft†). Da also ein Werden besteht, aber von den Ideen ausgeschlossen ist, so sind wir hiemit wieder auf ein von ihnen getrenntes Reich, das des Sinnlichen, gewiesen††).

d) Aber nicht das Werden der Dinge allein, sondern sie selbst,

---

Myth. 8, deutet es gar auf die sog. Mittelbegriffe, wie die Idee des Einschlafens zwischen der des Wachens und Schlafens.

*) Susemihl II, 445: „das Werden als solches ist auch gar nicht zu erklären, sondern vielmehr zu negiren;" ebenso II, 335. Deuschle, plat. Sprachph. 37.

**) Susem. I, 350. 356 (als relative Negation). Dagegen Deuschle a. a. O. 36: „das Werden kommt von außen an das Seyn; keineswegs immanirt es ihm, wie die genetische Erklärungsweise es angiebt. Das Seyn wird, wie Tim. 38b sagt, *ὑπ' ἀνάγκης* in die Erscheinungswelt herübergezogen und zur Rückkehr in seine Transscendenz wieder losgelassen. Es selbst beharrt in fortwährender Beständigkeit. Die vom Seyn umschlossenen allgemeinen Begriffe ragen in dieß Werdende nothwendig herüber, Soph. 245d. Bei solcher starren Gebundenheit alles Seyenden konnt es nicht fehlen, daß aller lebendige Proceß aus der Anschauung vom Werden entweichen mußte" 2c.

***) Der allgemeine Titel dieser Untersuchung ist 96a angegeben: *δεῖ περὶ γενέσεως καὶ φθορᾶς τὴν αἰτίαν διαπραγματεύσασθαι*, und, da die Ideen an die Reihe kommen, werden auch sie nicht plötzlich als Ursachen des Seyns bezeichnet, wie Deuschle und Susemihl meinen, sondern ebenfalls des Werdens, 100d: *διισχυρίζομαι ὅτι τῷ καλῷ πάντα τὰ καλὰ γίγνεται καλά.* 101c: *μέγα ἂν βοῴης ὅτι οὐκ οἶσθα ἄλλως πως ἕκαστον γιγνόμενον ἢ μετασχὸν τῆς ἰδίας οὐσίας ἑκάστου.*

†) Was Susemihl zugiebt, I, 349. 351.

††) Wir werden dieses nun festgestellte Reich des Sinnlich-Wirklichen künftig kurz das der Dinge (*πράγματα*) nennen.

die ganze Welt des Einzelnen, sind sie objective*) „Erscheinungen der Ideen“, bedürfen, wie man sagt, einer „Ableitung“ aus diesen; es muß erklärt werden, warum nicht das Wesen allein, sondern auch seine Erscheinung vorhanden ist. Sind die Dinge selbst real, dann freilich versteht sich ihre Existenz so gut und schlecht wie die der Ideen. Nun ist aber keine Spur von Ableitung bei Plato zu finden. Man könnte sagen, wegen der Unrealität eines Princips außer den Ideen sey sie unmöglich gewesen. Warum ist aber nicht einmal ein Versuch gemacht**)? Einfach deßwegen, weil nach Plato in der That die Ideen nicht das einzig Reale und die Dinge nicht ihre Erscheinungen, sondern selbst real sind.

Noch weniger als aus jeder Idee für sich ist eine Ableitung aus ihrer gegenseitigen Beziehung, Bestimmung, Beschränkung, Negation ꝛc. †) gegeben und denkbar; denn wenn Etwas nicht ein Anderes als es selbst ist, so folgt daraus kein Drittes und auch keine Erscheinung.

e) Die sinnliche Lust ist Plato ein Werden (Phil. 53 c, 54 d). Sehen wir auch ab von der Möglichkeit des Werdens überhaupt; aber ist sie ihm Erscheinungsform des Guten oder „Negation der Negation“? Freilich ist ihm der Körper eine schlimme Inhärenz ††); allein wohin soll sich die so eindringlich empfohlene Flucht aus

*) Daß sie nur subjective Erscheinungen seyen (Ritter), hat Zeller 466 f. widerlegt.

**) Zeller 474—485 hat dieses Bedenken selbst ausgeführt und auf die Transscendenz als seine Lösung hingewiesen.

***) Denn die von Zeller gesuchten Andeutungen werden von ihm selbst als nicht zur Sache gehörig anerkannt, da sie die Realität der Dinge stets voraussetzen. Plato weiß gar Nichts von all' den Schwierigkeiten, die Zeller hier begegnen.

†) Susemihl I, 350 f. (die „relative Negation,“ „der lebendige Proceß der Ideen selbst bewirkt die Welt der Erscheinung“) während Zeller 474 u. 479, A. 1 es unmöglich findet.

††) Nach Susemihl I, 439; II, 25. 354 ist der Körper nur „die niedrigste Potenz im Seelenleben“ und „die Idee des Körpers eine Inhärenz der Idee der Seele“, worauf „das Zerfallen der Welt in eine physische und psychische Seite“ beruhe. Das Erstere folgert er aus einem von Pl. bekämpften Einwand (Phaedo 87), daß die Seele sich den Körper webe, das Letztere sey der „wissenschaftliche Ausdruck“ davon!

dem Sinnlichen, Körperlichen richten? Zur Seele? Aber sie ist ja selbst nur Erscheinung. Zur Idee? Aber die Erscheinung überhaupt kann nicht abgeworfen werden, inhärirt dem Wesen, und eine einzelne kann nicht selbst zum Wesen werden. Es wäre also unbegründete Furcht oder Hoffnung gewesen, wenn Plato so unermüdlich die Unsterblichkeit bewies; denn sie wäre entweder gleichgültig*) oder unmöglich.

f) Ist durch das Bisherige die Ansicht unhaltbar geworden, so tritt um so fester die hauptsächlich auf Grund derselben angezweifelte Autorität des Aristoteles wieder hervor, der die Ideen bekanntlich im Sinne vollständiger Trennung von den Dingen als *χωριστά*, *παρὰ τὰ πράγματα* bezeichnet Metaph. I, 6. p. 987, b, 8. 30. XIII, 9. p. 1086, a, 33.

g) Der Vortheil der Ansicht, wodurch sie empfohlen wird, daß sie nämlich gewisse im Parmenides entwickelte Schwierigkeiten der Ideenlehre hebe, ist illusorisch. Denn erstens hat sie Plato selbst nicht gelöst, da er die dort am meisten getadelten Ausdrücke in den reifsten Dialogen in demselben Sinne wiedergebraucht (s. S. 28 mit A.); zweitens muß ich wenigstens gestehen, daß mir durch die Ausdrücke Wesen — Erscheinung, die man statt jener setzt, das Verhältniß nicht im Geringsten deutlicher, wohl aber um Vieles undeutlicher wird; und vermuthe, daß es in dieser mindestens sehr unanschaulichen Form Plato's plastischer Denkweise undenkbar gewesen wäre; sehr klar ist nur, warum gerade in der Gegenwart, die es in die philosophische Terminologie eingeführt hat, die ganze Ansicht über die platonischen Ideen Vertretung findet. Sehen wir aber ab von der freilich wohlfeilen Versicherung, das Eine Wesen erscheine eben als Vielheit, und halten uns an verständlichere Worte, wie „Abschattung der Idee, vielgestaltige Brechung ihrer Strahlen in dem an sich leeren und dunkeln Raume des Unbegrenzten"

---

*) Am meisten, wenn, wie Susemihl consequent meint, Plato die Seele nicht völliger Körperlosigkeit fähig geglaubt hätte (I, 461). Welche Aussicht für den Philosophen, der den Phaedo schrieb! — weßhalb Zeller (537) mit Entschiedenheit eine solche Annahme verwirft. S. auch S. 33 A. 2.

(Zeller 473), so sieht Jeder, daß dies nur zur Verdeutlichung des Widerspruches dient, da in dem an sich leeren Raume weder Schatten noch Strahlenbrechung möglich ist. Durch diese Ansicht entstehen also erst die Widersprüche*).

Was soll sie uns nun noch leisten? Sie muß das Werden läugnen: Plato behauptet es; sie muß eine Ableitung der Erscheinungen fordern: Plato verweigert sie; sie will die Widersprüche der Ideenlehre lösen: sie bleiben; sie will den Dualismus verbannen: er wird zum Widerspruch; sie selbst widerspricht den Aussprüchen des Aristoteles, den Aussprüchen und Principien Plato's auf allen Gebieten: sie selbst ist zu verwerfen.

Nicht ohne Grund und hoffentlich auch nicht ohne Folgen verweilten wir hier so lange; sowohl die Wichtigkeit der Sache, welche die Wurzel aller Auffassung Plato's und besonders unserer Frage bildet, erforderte es, als die Kraft und Consequenz, mit welcher diese Anschauung durchgeführt worden ist, und die merkwürdiger Weise fast alle eben erwähnten Folgerungen bis auf die letzte selbst gezogen hat. Um so kürzer können wir nun bei der zweiten Ansicht der Immanenz seyn, welche die Ideen (als Grenzen**) ꝛc.) in den Einzeldingen seyn läßt. Ihr widerspricht sowohl die Einheit als die Unvergänglichkeit der Ideen (denn mit dem Dinge vergeht auch Alles, was an und in ihm ist) als ihre Bedeutung (denn was nützt die Existenz in den Dingen, da wir sie nicht aus ihnen erkennen?), als endlich directe Aussprüche Plato's, der außer der Größe, Schönheit ꝛc. in den Dingen noch eine Idee der Größe ꝛc. kennt (Phaedo 103 b, Euthydem. 301 a, Phaedr. 249 d) und die Ideen in nichts Anderes eingehen läßt. — Auch von der Ansicht der Immanenz zwischen Dingen und Ideen wollen wir nun, wie vorhin von der der Immanenz der Ideen im Geiste, nicht ohne Ausbeutung für die positive Erkenntniß der Ideen scheiden. Wie dort ihr Verhält-

---

*) Die nähere Ausführung bei Zeller 484 und Susemihl I, 356.

**) v. Stein, sieben Bücher zur Geschichte des Platonismus ꝛc., I, 214.

niß zum erkennenden Geiste, so wird hier ihr Verhältniß zu den Dingen eine nähere Bestimmung fordern; widerstrebt es doch philosophischer Weltauffassung, zwei zusammenhangslose Welten in so schroffer Trennung sich gegenüberzustellen! Die vollkommene Erkenntniß hatte früher gefordert, daß die Ideen, wie sie in Wirklichkeit sind, so auch erkannt werden können und nicht als Erkenntnißbilder, sondern als völlig erkannt im Geiste seyen. Das unvollkommene Seyn der Dinge macht umgekehrt die Gegenwart der Ideen, wie sie wirklich sind, in ihnen unmöglich, es müssen also Seynsbilder der Ideen in den Dingen seyn und das Verhältniß der Dinge zu den Ideen ist das der Abbilder zu den Vorbildern: Aehnlichkeit. So ist es consequent und so hat es Plato thatsächlich angenommen. Darum unterscheidet er hier auch, wenn er genauer spricht, die Ideen wie sie in den Dingen und wie sie wirklich sind (s. o.), und schreibt ihnen in den Dingen eine Trübung zu (Phaedr. 250 b). Bekannt sind die Ausdrücke, mit denen er das Verhältniß bezeichnet: *παρουσία* der Ideen, *μέθεξις*, *κοινωνία* der Dinge mit ihnen; die Ideen sind *παραδείγματα*, die Dinge ihre *εἰκόνες* oder *ὁμοιώματα*: Ausdrücke, von denen sich die drei letzten, die ja vollkommen deutlich sind, als Erklärung der übrigen*) in den reifsten Dialogen Tim. und Rep.**) finden (also nicht bloß in einem oft für mythisch gehaltenen, wovon unten, sondern in dem wissenschaftlichsten aller Werke Plato's), in denen zugleich die Trennung der Ideen und Dinge am strengsten vollzogen ist, und die, wie wir in der Einleitung sagten, für unsere Frage maßgebend sind.

Aus dem Bisherigen ist uns über die platonische Welt-

*) Es ist das Bild der Idee, also in diesem Sinne ein Theil von ihr, im Dinge gegenwärtig. Wenn Plato die übrigen Ausdrücke noch zuweilen neben den obigen gebraucht, so zeigen doch die stets beigegebenen Analogien (Spiegelbild, Traumbild ꝛc.) den damit verbundenen Sinn; auch wir werden daher, welchen jener Ausdrücke wir auch gebrauchen, diesen Sinn darunter verstehen.

**) Tim. 28a, 30c, 37c, 50c, 52a etc. Rep. V, 476c; VI, 509d f.; VII, 514a f., 532a f.

anschauung Folgendes klar geworden. Sie statuirt drei von einander getrennte Gebiete des Seyenden, deren Grundeintheilung die des Geistigen und Sinnlichen ist, wovon Ersteres wieder in die Seelen (im engeren Sinne) und die Ideen zerfällt*). Wollen wir also die Ideen vorläufig definiren d. h. gegen das übrige Seyende und dieses gegen sie abgrenzen, so werden wir sagen: sie sind weder in irgend einem Verstande noch in irgend einem sinnlichen Dinge, sondern für sich existirende geistige Wesen, welche dem Verstande gegenüber die Stelle der Erkenntniß-Objecte einnehmen. Man kann sie in dieser Hinsicht substanziirte, hypostasirte, objectivirte ꝛc. Begriffe nennen.

Neben dieser Trennung der Welten fanden wir bereits auch einen Zusammenhang. Dieser bedarf nun nach mehreren Seiten hin der Ergänzung. Wir fanden 1. zwischen Ideen und Dingen das Verhältniß, daß diese sind, indem sie Ideen ähnlich sind (μετέχειν), und werden, indem sie anderen Ideen ähnlich werden (μεταλαμβάνειν). Ein Seyn kommt nun, wenn auch kein vergängliches, den Seelen ebenfalls zu; auch von ihnen giebt es, wie von allem Vielen, dem der gleiche Name zukommt, eine Idee; wie verhalten sie sich nun zu dieser, wie zu den Ideen überhaupt in ihrem Seyn? Plato giebt an, daß auch sie Abbilder derselben seyen, so zwar, daß sie durch nothwendiges und immerwährendes Theilhaben an der Idee des Lebens unsterblich seyen (Phaedo 105 c, 106 d; Tim. 30 c). Aus diesem Verhältniß der Ideen zu den beiden anderen Welten können wir nun unserem Vorhaben gemäß einen Grundsatz abstrahiren: Jedes Prädicat eines Einzelnen in diesen Welten ist metaphysisch zu erklären als Aehnlichkeit des Subjectes mit der Idee des Prädicates, wenn es dem Subject mit Anderen gemeinsam**) und nicht mit ihm identisch†) ist. Was wir hier

*) γένος ὁρατόν und γένος νοητόν oder ἀειδές Rep. VI, 509d; Tim. 27d f., 52a (Ideen), Phaedo 79a; Leg. X, 898e (Seelen). Ein anderer Gesichtspunct wird uns bald zu derselben Gliederung führen.

**) Denn von allen solchen giebt es eine Idee.

†) Denn von einem Individuum allein giebt es keine Idee, vgl. Zeller 422.

unplatonisch ausdrückten, hat Plato einfacher gesagt: das Schöne ist durch die Schönheit schön (Phaedo 100 d), wir müssen es aber um der Genauigkeit des Verständnisses willen so übersetzen. Ferner sind vermöge jenes Verhältnisses die Ideen in gewisser Weise Ursachen beider Welten zu nennen. Sie sind nicht Zweckursachen; denn solche sind entweder Gedanken eines Geistes, der sie zu verwirklichen strebt, oder (in einem anderen Sinne) das zu Verwirklichende selbst, also die Dinge oder in ihnen. All' dies mußten wir aber für die Ideen läugnen*). Sie sind auch nicht wirkende Ursachen, Plato giebt dafür keine Andeutung**). Sie sind vielmehr die *παραδείγματα*, die jenseitigen Urbilder der Welt, und da die Aehnlichkeit dieser mit ihnen einen Theil und zwar das Wesentliche des diesseitigen Seyns bildet, eben als Urbilder Ursachen zu nennen. Hieraus ergiebt sich zunächst ein anderer Ausspruch des ersten Grundsatzes: Alles Seyn der Dinge und Seelen (bis auf die individuellen Unterschiede) setzt die Ideen als vorbildliche Ursachen (*παραδείγματα*) voraus. Sodann ein neuer Grundsatz: Da

---

*) Trendelenburg a. a. O.; Brandis, Handb. II, 1, 355, Gesch. d. Entw. I, 314; Zeller 437 f.; Erdmann, Grundr. 96 f. führen Phaedo 95 e f. für die Zweckursächlichkeit an. Hier finde ich a. die (jonische) Materie — 96 e; b. die wirkeude Ursache, obwohl nicht ganz scharf gefaßt (*σχίσις*, *πρόσθεσις* vgl. 101 c) — 97 c; c. die Zweckursache (und ihren Träger, den anaxagoreischen *νοῦς*) — 99 d; mit diesem *ἀγαθόν*, *βέλτιστον* ist aber nicht die Idee des Guten gemeint, vielmehr treten, auf's Schärfste abgegrenzt, d. erst 99 d med. (cap. 48) die Ideen als neue Ursache auf und ihre Ursächlichkeit wird als *εἴτε παρουσία εἴτε κοινωνία εἴτε ὅπῃ δὴ καὶ ὅπως προσγενομένη* angegeben. (Die genauere Bestimmung s. oben.) An ihnen als den sichersten unter den Ursachen will Plato einfältig festhalten (100 d); daß sie aber gar die Welt zusammenhalten und in ihnen alle vorigen zusammenfallen sollen (Zeller), ist von ihnen nicht gesagt, sondern das Erstere nur vom Zweck (99 c), das Letztere gar nicht; vielmehr sind „die übrigen" immer noch neben ihnen erwähnt 100 c, d, 101 c. Das Citat Zeller's aus Aristoteles (vgl. flgd. S. A. 2) sagt, daß die Ideen Ursachen seyen, und zwar ganz in unserem Sinne, *κατὰ τὴν μετάληψιν*, aber nicht, daß sie die oder die einzigen seyen.

**) Wir haben dies oben gegen Zeller dargethan, s. S. 19 A. 1.

bei allem Werden der Dinge ein Seyendes entsteht*), so setzt auch alles Werden der Dinge die Ideen als *παραδείγματα* des Entstehenden voraus**).

Wir fanden 2. zwischen Seelen und Ideen das Verhältniß des Erkennens; ein solches muß nun auch zwischen Seelen und Dingen bestehen, da wir sonst nicht einmal von der Existenz der Sinnenwelt wissen könnten. Wissenschaft freilich im eigentlichen Sinn ist, wie wir sahen, von ihnen unmöglich. Die Kenntniß, die wir von ihnen haben, muß also ein Mittelding zwischen Wissen und Nichtwissen seyn. Plato stellt in der That ein solches auf: die wahrscheinliche Meinung (Rep. V, 478 e). Ferner ist das Erkennen auch gar nicht die einzige Aeußerung der Seelenthätigkeit, und es fragt sich, wie wir uns in den übrigen zu den Dingen sowie zu den Ideen verhalten. Hier sind nun wieder die Ideen die Vorbilder, denen wir auch in unserem sittlichen Streben uns selbst und Andere verähnlichen sollen (Phaedr. 252 d f.; Symp. 212 a; Rep. VI, 500 d), das Maß unserer Handlungen (Politic. 284 d f.), (z. B. die Idee der Besonnenheit, Gerechtigkeit); sowie die Vorbilder für die künstlerische (überhaupt Aeußeres schaffende) Thätigkeit (Rep. X, 596 b). Gegenüber den Dingen aber ist die wichtigste Bedeutung der Seelen, daß sie die wirkenden Ursachen aller Bewegung und alles Werdens in der Körperwelt sind. Denn kein Körper kann sich selbst bewegen (Phaedr. 245 e). Darum sind die Menschenseelen auch nicht die einzigen, sondern den Gestirnen, die sich im Kreise, und der ganzen Welt, die sich um sich selbst bewegt, müssen Seelen zuerkannt werden (Tim. 37 a f., Leg. X, 899 b). Durch eine Bewegung nun wird auch das Werden herbeigeführt***). In den Seelen liegen also die wir-

*) Phil. 26 d: *γένεσις εἰς οὐσίαν.*

**) Phaedo 100 d, 101 a; Aristot. de gener. et corr. II, 9. p. 335 b, 13: *εἶναι μὲν ἕκαστον λέγεται κατὰ τὸ εἶδος, γίνεσθαι δὲ κατὰ τὴν μετάληψιν καὶ φθείρεσθαι κατὰ τὴν ἀποβολήν, ὥστ' εἰ ταῦτα ἀληθῆ, τὰ εἴδη οἴεται ἐξ ἀνάγκης αἴτια εἶναι καὶ γενέσεως καὶ φθορᾶς.*

***) Leg. X, 894 a: *μεταχινούμενον γίγνεται πᾶν.*

kenden Ursachen alles Geschehens in der Natur (Leg. X, 896 a, 898 e; Phil. 30 e; Soph. 265 c), welche ihren Namen mit Unrecht trägt; denn nicht sie ist das Ursprüngliche*), auch das Geschehen ist nur ein anderer Name für das Gewirktwerden und wirkende Ursache für Ursache schlechthin**). Wirken aber heißt aus dem Nichtseyn zum Seyn überführen***). (Plato hat also einen deutlichen und scharfen Begriff der wirkenden Ursache, wenn auch nicht des Naturwirkens im neueren Sinne.)

Die Gestirnseelen sind danach Bewegungsursachen der Gestirne und erzeugende Ursachen der Pflanzen, Thiere und alles Leblosen auf ihnen (Soph. 265 c); unsere Seelen aber Bewegungsursachen unserer Körper und erzeugende Ursachen in der Kunst†). So können wir jetzt wieder einen Grundsatz aufstellen: daß nicht bloß ein *παράδειγμα*, sondern auch eine wirkende Ursache für jedes Werden in der Welt der Dinge nothwendig ist, und daß dieselbe in der Welt der Seelen liegt.

Auch aus dem Zusammenhang der drei Reiche ergiebt sich, wie vorhin aus ihrer Trennung, eine nähere Bestimmung der Ideen: sie sind die vorbildlichen Ursachen für das Seyn der beiden anderen Welten und für das Werden der Dinge; deßgleichen eine nähere Bestimmung der Seelen:

---

*) Leg. X, 892 b: *τὰ μεγάλα καὶ πρῶτα ἔργα καὶ πράξεις τέχνης ἂν γίγνοιτο, ὄντα ἐν πρώτοις, τὰ δὲ φύσει καὶ φύσις, ἣν οὐκ ὀρθῶς ἐπονομάζουσιν αὐτὸ τοῦτο, ὕστερα καὶ ἀρχόμενα ἂν ἐκ τέχνης εἴη καὶ νοῦ.*

**) Phil. 26 e: *οὐκοῦν ἡ τοῦ ποιοῦντος φύσις οὐδὲν πλὴν ὀνόματι τῆς αἰτίας διαφέρει, τὸ δὲ ποιοῦν καὶ τὸ αἴτιον ὀρθῶς ἂν εἴη λεγόμενον ἕν;.. καὶ μὴν τό γε ποιούμενον καὶ τὸ γιγνόμενον οὐδὲν πλὴν ὀνόματι.. διαφέρον εὑρήσομεν.*

***) Soph. 219 b: *πᾶν ὅπερ ἂν μὴ πρότερόν τις ὂν ὕστερον εἰς οὐσίαν ἄγῃ, τὸν μὲν ἄγοντα ποιεῖν, τὸ δὲ ἀγόμενον ποιεῖσθαί πού φαμεν.* 265 b. Symp. 205 b: *ἡ γάρ τοι ἐκ τοῦ μὴ ὄντος εἰς τὸ ὂν ἰόντι ὁτῳοῦν αἰτία πᾶσά ἐστι ποίησις, ὥστε καὶ αἱ ὑπὸ πάσαις ταῖς τέχναις ἐργασίαι ποιήσεις εἰσὶ καὶ οἱ τούτων δημιουργοὶ πάντες ποιηταί.*

†) Daher theilt Soph. 265 b f. die erzeugende Thätigkeit in die zwei Arten der göttlichen (wozu die der Gestirne) und der menschlichen, indem unter der *τέχνη* auch das Handwerk begriffen ist, s. vorige Anm. vgl. Rep. VII, 522 b.

sie sind die wirkenden Ursachen nicht nur für die geistige Bewegung der Ideen im Erkenntnißact*), sondern auch für die Veränderung und das Werden der Dinge**). Aus der Betrachtung dieser Bestimmungen erwächst wiederum nach zwei Seiten hin der Antrieb zur Weiterforschung. Wir sehen nämlich 1) daraus, daß die beste Erklärung (aus den Ursachen) eigentlich für die Dinge gegeben ist, und daß, wie Plato die Definition des Philosophen suchend zuerst die des Sophisten fand, so wir statt über die Ideen über die Dinge Aufklärung gefunden haben. Da jedoch dies Resultat für die gesuchte Erkenntniß der platonischen Welt (wie dem Plato das seinige) offenbar wesentlich ist, fahren wir zunächst auf diesem Wege fort, indem wir nach den übrigen Principien der Dinge fragen. Denn es entgeht Niemanden, daß aus einer Aehnlichkeit und einer wirkenden Ursache noch kein Bild entsteht und besteht; sonst müßten alle Unterschiede der Dinge von den Ideen und damit ihr ganzes Seyn aus diesen beiden sich erklären lassen. Nun erklärt die wirkende Ursache allerdings, indem sie sich nach diesem oder jenem Vorbild richten kann, daß die Aehnlichkeiten vieler Ideen in Einem Ding existiren, aber nicht, daß viele Dinge an Einer Idee theilhaben. Zunächst muß überhaupt ein Substrat vorhanden seyn, das die Wirkung aufnimmt und ohne welches weder Ein noch viele Bilder entstehen könnten; denn nicht die Dinge selbst können dies seyn, weil sie durch die Theilnahme erst constituirt werden. Wir fordern also ein Princip für die Vielheit und die Unvollkommenheit der Dinge, welche Einer Idee ähnlich sind (wodurch sie sich sowohl von dieser als, indem sie größer oder geringer ist, unter sich unterscheiden), und ein Substrat, welches die Abbildung der Idee aufnimmt, also einen weiteren Grund des Werdens,

*) Denn auch die Welt- und Gestirnseelen als die vollkommensten erkennen die Ideen, Leg. X, 901 d; Tim. 37 a, c, 51 e.

**) Daher werden sie als das sich selbst und alles Andere zu bewegen Vermögende definirt, Leg. X, 896 a: *δυναμένην αὐτὴν αὑτὴν κινεῖν κίνησιν;... μεταβολῆς τε καὶ κινήσεως ἁπάσης αἰτία ἅπασιν*; daß sie aber stets ein Anderes bewegten (Susemihl, s. S. 26 Anm.), wird nicht gesagt, sondern nur, daß sie stets sich selbst bewegen, Phaedr. 245 c.

ohne den es unmöglich ist. Dies die Bedeutung der s. g. platonischen Materie. Sie ist Eine allgemeine für die Welt der Dinge, aber als Princip der Vielheit ein ἄπειρον, Grund des Mehr und Minder (Phil. 23 c f.; Polit. 273 d), der Unvollkommenheit (Theaet. 176 a; Polit. 273 b), selbst nicht werdend, entstehend und vergehend (Tim. 50 b, 51 b, c), aber Mutter und Amme des Werdens (ib. 49 a, 51 a), selbst formlos, aber alle Formen, alle ein- und ausgehenden Bilder der Ideen aufnehmend (ib. 50 c, d, 51 a). Da die Ideen, Ursachen der Vollkommenheit der Dinge, selbst das völlig und wahrhaft Seyende sind, so ist die Materie, Ursache der Unvollkommenheit, selbst das nicht wahrhaft Seyende, keineswegs aber ein schlechthin Nichtseyendes*), da wir sonst auch von ihr Nichts wüßten; da sie aber doch weniger ist als die Dinge und die Erkenntniß- mit der Seynsweise für Plato immer parallel läuft**), so entspricht ihr eine eigene Erkenntnißweise, der (freilich mit Grund nicht näher beschriebene) „unächte Schluß“***).

Aus denselben Gründen nun, mit Ausnahme des Werdens, ist auch für die Seelen eine Materie unentbehrlich. Auch sie sind Abbilder, auch in ihnen ist Vielheit und verschiedene Stufen. Die vollkommenste ist die Weltseele†), dann folgen

---

*) Vom Nichtseyn derselben weiß Plato so wenig wie von dem alleinigen Seyn der Ideen. Mit dem μὴ ὄν des Soph. und Parm. wird die Materie oft fälschlich verwechselt; jenes bedeutet, daß, was irgend ein Seyn hat, viel Anderes nicht ist und dies Andere nicht das Erste; daher das μὴ ὄν sich als das ἕτερον herausstellt (Soph.). Der Grund davon, daß das Eine nicht das Andere, von ihm verschieden ist, ist allerdings die Materie; von ihr ist aber hier nicht die Rede (sonst würde sich der Sophist mit der Materie beschäftigen), ja nicht einmal von den Dingen, sondern von dem gegenseitigen Verhältnisse der Ideen, auf welches wir später kommen.

**) Tim. 29 b: ὡς ἄρα τοὺς λόγους, ὧνπέρ εἰσιν ἐξηγηταί, τούτων αὐτῶν καὶ ξυγγενεῖς ὄντας. 29 c: ὅ τί περ πρὸς γένεσιν οὐσία, τοῦτο πρὸς πίστιν ἀλήθεια. Rep. VII, 534 a.

***) Tim. 52 b: λογισμῷ νόθῳ.

†) Tim. 34 b, 37 a; Leg. X, 899 b f. und 896 d—898 c. An dieser letzten Stelle hat man oft eine gute und eine böse Weltseele gefunden. Ihr

die Gestirn=, endlich die Einzelseelen (Tim. 40 a). Es giebt also auch eine allgemeine Seelenmaterie*).

Das Verhältniß der Materie zu dem Uebrigen, was wir bis jetzt als existirend kennen, ist natürlich ihrer ganzen Bedeutung zufolge Immanenz in den Dingen bez. Seelen. Ihre Ursächlichkeit ist die einer nothwendigen Mitursache (Tim. 46e, 47e), ohne welche die eigentliche (der νοῦς) nicht Ursache wäre**), der zum Werden dienenden Ursache (Phil. 27 a); und wir haben mit ihr einen weiteren Satz des Systems gefunden: Zu allem Seyn der Seelen und Dinge und zu allem Werden der letzteren ist die Materie derselben nothwendige Mitursache.

Inhalt ist folgender: „a) die Seele (allgemein gesprochen) ist die Ursache von Allem, also auch vom Guten und Bösen (— 896 e); b) nun muß, wie über alles Bewegte, so über die ganze Welt eine Seele walten; und da es zweierlei Seelen giebt, gute und böse (je nach der Art ihrer Wirkung, Bewegung) so fragt es sich: welcher Art ist die Weltseele? (— 897 c) c) es kommt auf die Bewegung der Welt an. Sie ist eine Bewegung um sich selbst, die sich stets und nach allen Richtungen gleich bleibt; diese ist aber der geistigen, welche die vortrefflichste ist, am nächsten verwandt; also die Weltseele als Ursache dieser Bewegung eine gute.“ Beide Seelen anzunehmen, verbietet ein für allemal schon das entweder — oder (898 c: ἤτοι τὴν ἀρίστην ψυχὴν ἢ τὴν ἐναντίαν). Die scheinbare Schwierigkeit 896 d: ψυχὴν δὴ διοικοῦσαν — πλείους hebt sich, wenn man nach Auflösung des Particips (ὅτι ψυχὴ διοικεῖ . . ., μῶν οὐ καὶ τὸν οὐρανὸν [= κόσμον, Tim. 28 b] ἀνάγκη κ. τ. λ.) die Frage nach der Zahl auf das Subject des Vordersatzes bezieht, wie dies in der That bei allem Folgenden geschieht; so daß also nach den Arten der Seele überhaupt gefragt wird. Man könnte sagen, indem das Subject für beide Sätze dasselbe sey, werde die Zweiheit doch auch auf die Weltseele übertragen. Allein das Subject bleibt eben nicht dasselbe, und zwar für jede mögliche Auslegung, da ψυχὴ . . ἐν ἅπασι τοῖς κινουμένοις offenbar die Seele überhaupt, im Allgemeinen bedeutet, die ψυχὴ τοῦ οὐρανοῦ aber eine bestimmte ist (wie auch wir sagen: Schnee deckt die Höhen der Alpen, mithin auch die Jungfrau — letzteres aber gewiß nicht all' der Schnee, der auf den Alpen liegt).

*) Ib. 35 a für die Welt=, 40 b für die Gestirn=, 41 d für die Einzelseelen. Daß auch diese Materie Eine ist, geht daraus hervor, daß die Ueberreste von der Bildung der höheren immer für die niederen Seelen verwendet werden. Daß sie von der sinnlichen verschieden ist, zeigt die erste Stelle (die aber damit noch keineswegs erklärt seyn soll).

**) Phaedo 99 b bezügl. der jonischen Materie, an deren Stelle die platonische trat.

2) Bei näherer Betrachtung des obigen Zusammenhangs der Welten zeigen sich folgende weitere Mängel. Schon das Seyn der Dinge ist gewissermaßen noch ganz unerklärt. Denn die Körper werden zwar durch die Seelen erzeugt, aber nicht durch ihre eigenen. Weil also die Weltseele nicht ihren eigenen Leib erzeugt, fehlt für den Weltkörper (d. h. eigentlich für die ganze körperliche Welt) eine wirkende Ursache*). Gehen wir auf das Seyn der Seelen zurück, so zeigt sich hier derselbe Mangel. Sie sind Bilder der Ideen, haben eine nothwendige Mitursache, aber die, für welche sie Mitursache ist und die allein den Namen der Ursache verdient (S. 32), nämlich die wirkende, fehlt gänzlich. Zu welcher der bisher kennen gelernten Gattungen des Seyenden könnte nun diese gehören? Sie kann offenbar entweder ein erkennender Geist (Seele) seyn, dessen Seyn aber nicht durch Abbildung der Ideen bedingt ist (sonst ergäbe sich ein unendlicher Regreß), oder eine Idee, welche wirkende Kraft besitzt, oder keines von beiden. Man sieht jedoch leicht, daß diese Möglichkeiten auf Eine herauskommen, da sie keinesfalls ganz in demselben Sinne wie die übrigen Ideen oder Seelen diese Namen tragen würde. Wir stellen also an das platonische System von seinen Grundsätzen aus wiederum die Forderung einer oder mehrerer neuen Realitäten, nämlich des wirkenden Princips für den Weltkörper und für das ganze Reich der Seelen, die nicht gerade nothwendig identisch seyn müssen, es aber seyn können und wovon wir das letztere in obiger Weise näher bestimmen konnten.

Plato hat dieser Forderung vollständig genügt, und zwar vorzugsweise im Timaeus. Bevor wir die hier gegebenen Bestimmungen überblicken, scheint es nothwendig, einer schon von Xenokrates, besonders aber in unserer Zeit vielfach geübten Auffassung gegenüber, die diesen Dialog ganz oder größtentheils

*) Man könnte hierin eine Paradoxie finden; sie ist allerdings darin begründet daß die Welt nicht als die Summe ihrer beseelten und unbeseelten Theile, sondern selbst als Seele betrachtet wird, die alles Körperliche zu ihrem Leibe hat.

als einen der dialektischen Auslegung bedürftigen Mythus betrachtet*), uns zu rechtfertigen, wenn wir ihr mit Aristoteles**) nicht beitreten. Unnöthig ist dies insofern, als der Ursprung und treibende Grund jener Auffassung in einer Ansicht über die Ideen liegt, die wir als falsch gefunden; denn wenn nur Ideen existirten, wäre es freilich thöricht, von einer Entstehung oder gar zeitlichen Entstehung der Welt im Ernste zu reden. Indeß wir können auch, von allem Früheren abgesehen, uns ganz einfach an Plato's eigene Aussage halten. Er läßt von p. 29 b an niemals eine bedeutendere Stelle vorübergehen, ohne den Standpunct der Erörterung als den der größtmöglichen Wahrscheinlichkeit zu bezeichnen***). Der Mythus schließt aber Wahrscheinlichkeit aus, denn er kann wörtlich genommen nur falsch, dem Sinne nach gedeutet nur wahr seyn. Der Dialog ist also in seinen Hauptstellen nicht mythisch. Plato giebt auch den Grund für jenen Standpunct an: es handle sich um die Erklärung der sinnlichen Welt, von der nur wahrscheinliche Meinug möglich sey †). Nach diesem Grunde versteht es sich aus dem früher Gehörten von selbst.

Nun ist aber zu beachten, daß dieser Gegenstand und in Folge dessen dieser Erkenntnißgrad erst von 29 b an angegeben

---

*) Zeller, plat. Stud. 208 f., Phil. d. Gr. II, 1. 508 f., extrem wiederum Susemihl II, 313 f., während Ribbing I, 370 u. Anm. 735 das hierher Gehörige und den ganzen Timaeus „höchst merkwürdig" findet. Uebrigens wird die Bezeichnung „mythisch" nicht von Allen in gleichem Sinne gebraucht, und muß auch bei den verschiedenen „Mythen" etwas verschieden gebraucht werden. Zeller (362 f. 487) scheint das Mythische, namentlich den Demiurg im Tim., als ernst gemeinte Ergänzung der Lehre zu betrachten, worin aber Plato noch zu viel Dichter gewesen sey. Was er nun war, ist hier gleichgültig, wir erforschen was er lehrt. Ich kann daher das eigentlich Mythische hier nur mit Susemihl II, 317 f. 320 als parabolisch, allegorisch und Alles, was nicht unter diesen Begriff fällt, wörtlich als philosophische Lehre von mehr oder weniger Gewißheit betrachten. Wir kommen später darauf zurück.

**) Unter den Neuern vgl. bes. Ueberweg, Rhein. Mus., N. F. IX, 76; Untersuchungen über die Echtheit und Zeitfolge plat. Schriften 287 f.

***) λόγος μάλιστ' εἰκώς, 29 b—e, 30 b, 44 d, 48 d, 56, a d, 68 d, 72 d. Ueber die Worte εἰκώς und μῦθος s. Ueberweg, Untersuchungen 289.

†) An denselben Stellen.

wird; von 27 c — 29 b gesteht der Sprecher Timäus weder Mythus noch Wahrscheinlichkeit zu, was er sowohl der Wichtigkeit des grundlegenden Anfangs wegen als einem ausdrücklichen Verlangen des Sokrates gegenüber*) gerade hier hätte thun müssen; vielmehr beweist das ὧδε οὖν 29 b klar, daß die Wahrscheinlichkeit erst hier beginnt. Dem entspricht die Darstellungsform 27 c — 29 b: es ist logische Schlußfolgerung; dem entsprechen die Prämissen dieses Schlusses: es sind die uns schon bekannten Grundsätze des Systems; dem entspricht der gefolgerte Gegenstand: es ist das παράδειγμα und die wirkende Ursache der Welt, also nichts vom Sinnlichen. Nun ist es ja gerade dieser Gegenstand, den wir ebenfalls suchen; wir haben also nicht einmal bloß wahrscheinliche Rede, geschweige denn einen Mythus zu erwarten, der immer einer unsicheren und mehr oder minder geistreichen Deutung unterläge**). Das Schema der Stelle ist folgendes:

Obersatz in drei Theilen.

a) Das immer Seyende, nie Werdende ist das durch die Vernunft, das stets Werdende ist das durch die Meinung zu Erfassende; b) alles Werdende muß durch eine Ursache werden; c) bildet diese***) es einem immer seyenden παράδειγμα nach, so muß

---

*) 26 e: τό τε μὴ πλασθέντα μῦθον ἀλλ' ἀληθινὸν λόγον εἶναι πάμμεγά που.

**) Es besteht also nicht die Alternative, den Timaeus gar nicht oder ganz für mythisch zu halten (Susemihl II, 326), so wenig als die, die übrige Lehre durch ihn oder umgekehrt zu deuten (das. 324); daß einzelne Passus mythisch sind, hat er mit anderen Dialogen gemein; wenn Susemihl (Jahn's Jahrb., 70. Jahrg. 146) nur das „Wirken nach räumlich-zeitlichen Kategorien und menschlicher Weise" mythisch findet, so stimme ich völlig bei, nur wird, wenn man bedenkt, daß mit dem Gewirkten nicht zugleich das Wirken räumlich-zeitlich seyn muß, dessen sehr wenig seyn. Uebrigens hört ja bei den physicalischen, physiologischen und pathologischen Erklärungen, wie sie eben Plato geben konnte, die Umsetzung in dialektische Begriffsverhältnisse von selber auf.

***) Der Ausdruck δημιοῦργος enthält keine Vermenschlichung (Susemihl 340) sondern bezeichnet als wissenschaftlicher Terminus die wirkende Ursache, Phil. 27 b: τὸ δὲ δὴ πάντα ταῦτα δημιουργοῦν λέγομεν τέταρτον, τὴν αἰτίαν. Symp. 205 b (s. S. 32 A. 3); Soph. 219 c, 265 c; Pol. 279 c, 281 c, d.

es gut werden; schlecht, wenn sie ein gewordenes παράδειγμα*) gebraucht.

Untersatz. Die ganze Welt ist körperlich, also durch Meinung zu erfassen.

Schluß den Theilen des Obersatzes entsprechend. a) Sie ist werdend und geworden**); b) den Erzeuger derselben zu finden ist schwierig und ihn Allen mitzutheilen unmöglich***); c) da die Welt die beste ist, so ist ihr παράδειγμα das immer Seyende (die Ideen).

In der Folge giebt Timäus die Bildung der Welt im Einzelnen an: zuerst des Weltkörpers, dann der Weltseele, der Gestirnkörper (mit ihnen der Zeit†)), der Gestirnseelen und der unsterblichen Menschenseelen. Es wird also Alles, was wir inductiv verlangten, deductiv gegeben; und dazu eine Bestätigung

---

*) Dies ist ähnlich hypothetisch, wie die böse Weltseele (S. 34 A. 4).

**) Man kann das hinzugefügte „ist geworden" eine Erschleichung nennen, kann es aber auch so auffassen: „sie wird, wird werden und ist geworden", und den Fehler darin finden, daß für das letztere später (s. u.) ein zeitlicher Anfang substituirt wird. In dieser Form würde Plato's Schluß Susemihl's „dialektischer Auslegung" des Zeitanfangs, „daß sie stets ein werdendes und gewordenes Daseyn geführt habe und führen werde" (II, 327), täuschend ähnlich sehen, und Susemihl hat daher sehr Unrecht, ihn als „schülerhaften Schnitzer" zu bezeichnen, der auf den Mythus hindeute (II, 341), zumal ein solcher doch wohl in der Form des Mythus ebensowenig vorkommen darf.

***) Dies ist allerdings mehr eine auf Obersatz b bezügliche Bemerkung, als seine logische Folge (daß ein Erzeuger der Welt existire), welche aber darin implicite gegeben ist.

†) Die Widersprüche, die man in dieser Entstehung der Zeit fand, sind, wie auch andere, z. B. daß Gott gut, seine Güte Beweggrund, also die Welt doch ewig seyn müsse (Zeller 509), größtentheils nicht gegen die wörtliche Auffassung von Plato's Worten, sondern gegen die Sache gerichtet, beweisen also in ersterer Hinsicht Nichts. Im Gegentheil: wenn Plato sagt, die Welt sey entstanden, und man hält es für seine Meinung, sie sey nicht entstanden; wenn er sagt, die Zeit habe einen Anfang, und man meint, er habe das Gegentheil sagen wollen; wenn er sagt, Widersprüche in seiner Darstellung würden sich wegen des Gegenstandes nicht wohl vermeiden lassen, und man hält sie für „wohlbeabsichtigt" (Susemihl 328), so möchten in diesem Falle weder Plato's Worte noch die Sache, sondern die Interpretation ein Widerspruch seyn. Sie beweist also ihr eigenes Gegentheil, die wörtliche Auffassung.

der für das Werden überhaupt gefundenen Grundsätze auch für dieses erste Werden: es ist nebst der wirkenden Ursache das *παράδειγμα* (die Ideen) und die Materie (30 f.) gegeben, deren Bestimmungen wir großentheils dem Timaeus entnommen haben.

Ganz dasselbe nun und aus denselben Gründen lehrt Philebus. Er theilt 23 c — 27c das Seyende mit besonderer Rücksicht auf seine Entstehung in vier Gattungen, Unbegrenztes, Begrenztes, aus diesen Gemischtes und wirkende Ursache der Mischung. Dies sind Gattungen*) und es ist nur eine Anwendung derselben auf Einen Fall, wenn sie — sonst unzweifelhaft mit Recht**) — auf Materie, Ideen, Dinge, Gott bezogen werden; auch die Seelen sind eine Mischung aus Materie und Ideen***), und das *αἴτιον* nicht von vornherein auf Gott zu beziehen, sondern für alles Werden gefordert†). Nun ist Zweck dieser Eintheilung, den *νοῦς* (die erkennende Thätigkeit des Menschen) und die *ἡδονή* unter einer der Gattungen unterzubringen. Hierzu wird zunächst auf das Weltall hingewiesen und gezeigt, daß in ihm (als Grund der Ordnung) ein *νοῦς* also auch eine Seele walte. Beides aber komme ihm zu durch die Kraft der *αἰτία* ††). Wenn nun schon *αἰτία* schlechtweg die

*) 26 e: *τέταρτον γένος*, 27 a: *τρία γένη* etc.

**) Ich kann mich hierin außer dem durch die Analogie mit dem Timaeus gegebenen Beweise einfach an Brandis, Steinhart, Susemihl, Rettig u. A. gegen Zeller anschließen.

***) Eigentlich dem Bilde derselben, Plato setzt sie selbst dafür, wie er dies oft, gegenüber den subjectiven Begriffen immer thut.

†) 26 e: *πάντα τὰ γιγνόμενα διά τινα αἰτίαν γίγνεσθαι.*

††) 30 d: *οὐκοῦν ἐν μὲν τῇ τοῦ Διὸς ἐρεῖς φύσει βασιλικὴν μὲν ψυχήν, βασιλικὸν δὲ νοῦν ἐγγίγνεσθαι διὰ τὴν τῆς αἰτίας δύναμιν.* Dagegen ist in 30 e: *ὅτι νοῦς ἐστὶ γενούστης τοῦ πάντων αἰτίου λεχθέντος* sicherlich mit Hermann (Plat. diall. Praef. ad Phil. VIII) *γένους* zu lesen statt *γενούστης*, was sowohl der Wortbildung (das.) als dem Sinne nach absurd ist, denn kurz vorher heißt es, die *αἰτία* sey Ursache des *νοῦς*, also gerade umgekehrt. Es ist einfach nur die beabsichtigte Folgerung gezogen, welche gleich darauf zweimal wiederholt wird (31 a: *νοῦς δήπου .. οὗ μὲν γένους ἐστὶ .. δεδήλωται* und: *ὅτι νοῦς αἰτίας ἦν ξυγγενὴς καὶ τούτου σχεδὸν τοῦ γένους*).

wirkende Ursache bedeutet (*ποιοῦν*, *δημιουργοῦν*), so kann ἡ *αἰτία*, von der hier im prägnanten Sinne die Rede ist, nur die erste seyn, die wir schon im Tim. als Ursache der Weltseele fanden. Daher lautet Plato's Folgerung nur, daß der *αἰτία* der (menschliche) *νοῦς* verwandt sey und fast unter diese Gattung falle. Jene erste Ursache ist also im eigentlichsten Sinne allein so zu nennen. Darum wird auch als wahrhafter *νοῦς* nur der göttliche bezeichnet*), und wenigstens bezüglich seiner der Spruch der Weisen, womit sie sich selbst verherrlichen, anerkannt, daß der Geist König des Himmels und der Erde sey (28c — 29a). Beachten wir dieses, so wird uns nun auch das in den Leges hierüber Gesagte leicht verständlich. Es wird (10. Buch), um das Daseyn von Göttern nachzuweisen, von der Seele im Allgemeinen gezeigt, daß sie gegenüber dem Körper das Frühere sey (892 a, 893 a, 896 c), dies auf die Gestirnseelen angewandt und dieselben Götter genannt**). Damit wäre der populären Darstellungsweise des Dialogs Genüge gethan. Allein, genauer betrachtet, finden wir es zwar eben wegen dieses Standpunctes dahingestellt, ob Eine oder mehrere Seelen über das All walten***), aber doch die Seele immer nur als das zuerst, vor den Körpern Entstandene†) angegeben und andrerseits von dem Gott, dem Fürsorger des Alls, dem König (X, 902 e, 903 b, 904 a) gesprochen. In Analogie mit ihm also sind die Gestirne vorhin Götter genannt worden; sie sind die gewordenen Götter des Timaeus gegenüber dem ewig seyenden ††), die (durch ihre Körper) sichtbaren gegenüber dem geistigen †††). So bestätigen also und ergänzen diese Dialoge den Timaeus, wie dieser unsere Schlüsse, und wir

---

*) 22 c: *τόν γε ἀληθινὸν ἅμα καὶ θεῖον οἶμαι νοῦν.*

**) 900 b: *θεοὺς αὐτὰς εἶναι φήσομεν.*

***) Ibid.: *ψυχὴ μὲν ἢ ψυχαὶ πάντων τούτων αἴτιαι ἐφάνησαν.*

†) 892 a: *ὡς ἐν πρώτοις ἐστὶ σωμάτων ἔμπροσθεν πάντων γενομένη.* 899 c: *γένεσιν ἁπάντων εἶναι πρώτην.* XII, 967 d: *ψυχή — πρεσβύτατον ἁπάντων ὅσα γονῆς μετείληφεν.*

††) Tim. 34 a: *ὄντος ἀεὶ θεοῦ*, 34 b, 37 a, 40 c, 41 a etc.

†††) Die Welt ist (92 b) *εἰκὼν τοῦ νοητοῦ θεὸς αἰσθητός.*

dürfen jetzt als systematisch gefordert und durch Plato's Aussagen vollkommen bestätigt den platonischen Satz hinstellen: daß eine erste wirkende Ursache für die Welt der Seelen und Dinge existire, welche in besonderem Sinne Ursache, Seele, Geist und Gott zu nennen sey; — wir dürfen aber nicht sagen, daß wir den platonischen Gott gefunden hätten, denn es ist nicht erwiesen, daß diese wirkende Ursache die einzige ist, noch auch, daß, wenn sie es ist, wir sie sowohl nach allen Seiten als in ihrer ganzen Ursächlichkeit kennen. In der ersten Beziehung werden wir später Aufschluß finden, in den beiden letzteren Beziehungen fügen wir sogleich Ergänzungen hinzu. Der Gott, den wir als erste wirkende Ursache der Seelen und der körperlichen Welt fanden, ist nämlich 1) nach der Seite seiner Erkenntniß und seines Seyns gegenüber den Ideen noch nicht bestimmt und unsere darauf bezüglichen Forderungen nicht als erfüllt nachgewiesen. Was nun die Erkenntniß betrifft, so ist dies leicht. Denn Tim. führt die Ideen als Vorbilder an, auf welche hinblickend er die Welt gestaltete, Phaedrus schildert sie als allen Seelen gemeinsame Erkenntnißobjecte, bei denen verweilend der Gott göttlich ist*), die Leges schreiben ihre Erkenntniß schon den Göttern im weiteren Sinne (X, 901 d), Parmenides, wenn je Einem, dem Gotte zu (134 c). Anders bezüglich des Seyns. Plato giebt keine Andeutung, daß Gott nicht an den Ideen theilhabe, wir müssen hier also vorläufig eine Lücke in unseren Folgerungen lassen. Wie steht es aber dann mit einem Grundsatz, den wir oben für den Fall fanden, wenn einem Subjecte ein mit Vielen gemeinsames Prädicat gegeben wird? denn offenbar kommen dem Gotte viele Prädicate zu, die er mit den Seelen gemein hat. Gilt er auch in diesem Falle, so ist Gott Abbild der betreffenden Ideen und wir müssen nach einer weiteren wirkenden Ursache fragen; gilt er nicht, welches Verhältniß waltet dann ob zwischen Gott und jenen Ideen? Zur Lösung dieser Fragen ist noch kein Anhalts-

---

*) 249 c: πρὸς οἷσπερ θεὸς ὢν θεῖός ἐστι.

punct gegeben, sie mögen also stehen bleiben. Hingegen müssen wir 2) jetzt ein Moment hervorheben, das, obgleich in den vorhin erwähnten Dialogen auf's Reichlichste und in enger Verbindung mit der wirkenden Ursächlichkeit Gottes gegeben, der Uebersichtlichkeit halber zurückgedrängt wurde: Gott ist nicht Ursache des Seyns allein, sondern auch der Ordnung, des Guten in der Natur*) wie im Leben**) und nur des Guten in Beidem***), ebenso gefordert zur Erklärung dieser Thatsachen als des Seyns überhaupt. In abgeleiteter Weise gilt auch dies wieder von den Seelen: die Gestirne leiten durch ihre geordneten Bewegungen den Lauf der Natur (Phil. 30 c; Leg. X, 886 a f.), die Menschen sollen wenigstens in der Herrschaft über den Körper (Phaedo 94 c f.) und im geordneten Denken (Tim. 90 d) jene Bewegungen nachahmen. So ist uns eine neue Ursächlichkeit des *νοῦς*, der Seele überhaupt erwachsen, wie ist sie aber zu bezeichnen? Wir finden sie, tiefer zurückgehend, als Beweggrund zum Wirken in dem Wirkenden bezeichnet. Nachdem Timaeus den Bildner der Welt gefunden, ist die nächste Frage nach dem Grund, weßwegen er sie bildete, und die Antwort, daß er gut war und Alles sich möglichst verähnlichen wollte†);

*) Tim. 68 e: *τὸ δὲ εὖ τεκταινόμενος ἐν πᾶσι τοῖς γιγνομένοις αὐτός*. Phil. 28 e: *τὸ δὲ νοῦν πάντα διακοσμεῖν αὐτὰ φάναι καὶ τῆς ὄψεως τοῦ κόσμου καὶ ἡλίου καὶ σελήνης καὶ ἀστέρων καὶ πάσης τῆς περιφορᾶς ἄξιον, καὶ οὐκ ἄλλως ἔγωγ' ἄν ποτε περὶ αὐτῶν εἴποιμι οὐδ' ἂν δοξάσαιμι*, vgl. Pol. 273 b: *παρὰ μὲν γὰρ τοῦ συνθέντος πάντα τὰ καλὰ κέκτηται (ὁ κόσμος)*. Rep. VII, 530 a; Leg. X, 899 b; XII, 966 e u. 967 b: *νοῦς ἐστὶ τὸ πᾶν διακεκοσμηκώς*, dem Anaxagoras zustimmend. Die hier .und Phaedo 97 c f. (*ὡς ἄρα νοῦς ἐστὶν ὁ διακοσμῶν τε καὶ πάντων αἴτιος*) bei Anaxagoras vermißte Durchführung giebt der Timaeus.

**) Leg. X, 899 d f.; Rep. II, 379 c: *τῶν μὲν ἀγαθῶν οὐδένα ἄλλον αἰτιατέον, τῶν δὲ κακῶν ἄλλ' ἄττα δεῖ ζητεῖν τὰ αἴτια ἀλλ' οὐ τὸν θεόν*, vgl. 380 c.

***) Tim., Rep. l. c.; Tim. 42 d; Rep. X, 617 e: *αἰτία ἑλομένου· θεὸς ἀναίτιος*.

†) 29 d: *λέγωμεν δὴ δι' ἥν τινα αἰτίαν γένεσιν καὶ τὸ πᾶν τόδε ὁ ξυνιστὰς ξυνέστησεν. ἀγαθὸς ἦν, ἀγαθῷ δὲ οὐδεὶς περὶ οὐδένος ἐγγίγνεται φθόνος· τούτου δ' ἐκτὸς ὢν πάντα ὅ τι μάλιστα γενέσθαι ἐβουλήθη παραπλήσια ἑαυτῷ*.

es ist also zugleich seine neidlose Güte und das der Welt und allem Einzelnen Beste*) Beweggrund; er selbst aber die beste der Ursachen**) und so wesentlich gut, daß jede Aenderung in ihm Aenderung zum Schlechten wäre***); daher auch die Welt die schönste und bestmögliche und also einzige†). Dieser Beweggrund, Güte und Fürsorge, wird auch den Gestirnseelen in der Einwirkung auf die Natur zugeschrieben††). — Dies Alles scheint für sich verständlich, ist es aber keineswegs im Zusammenhalte mit dem Früheren. Denn was Gutes und Vollkommenes in der Welt ist, ist Abbild der Ideen; und diese können ohnehin nicht mehr oder weniger verähnlicht werden, denn hiefür ist die Materie nothwendige Ursache. Wozu also noch obendrein die Güte als Beweggrund im Wirkenden, da durch mechanische Wirksamkeit desselben die Vollkommenheit der Welt erklärt ist? Wir haben sie auch gar nicht gefordert, Plato selbst führt, was er durch sie erklären will, manchmal wieder auf die Ideen zurück (Tim. 28 a, 31 a), und so hätte der Begriff des Zweckes — denn um diesen handelt es sich offenbar — keine Stätte im System, wo er heimathsberechtigt wäre. Dies ist aber so undenkbar, daß vielmehr das ganze System darin begründet scheint und der ganze Timaeus nur seine Anwendung ist. Wir befinden uns also auch hier in einer Verlegenheit, die auf diesem Wege unlösbar ist und uns nöthigt, einen anderen einzuschlagen.

Richtung und Ausgangspunct desselben werden wir leicht finden, wenn wir unser anfängliches Vorhaben und dessen bis-

---

*) 47 a; Phaedo 98 b: ἑκάστῳ .. τὴν αἰτίαν καὶ κοινῇ πᾶσι τὸ ἑκάστῳ βέλτιστον καὶ τὸ κοινὸν πᾶσιν .. ἀγαθόν.

**) Tim. 29 a: ἄριστος τῶν αἰτίων, 30 a etc.

***) Rep. II, 381 b f.: ὁ θεός γε καὶ τὰ τοῦ θεοῦ πάντῃ ἄριστα ἔχει ..ταύτῃ μὲν δὴ ἥκιστα ἂν πολλὰς μορφὰς ἴσχοι ὁ θεός κ. τ. λ. 381 c: κάλλιστος καὶ ἄριστος ὤν. 382 e. Protag. 344 b.

†) Tim. 29 a, 30 b, 92 b: ὁ κόσμος οὕτω .. μέγιστος καὶ ἄριστος κάλλιστός τε καὶ τελεώτατος γέγονεν, εἷς οὐρανὸς ὅδε μονογενὴς ὤν.

††) Leg. X, 899 d f.; XII, 967 a: γιγνόμενα ... διανοίαις βουλήσεως ἀγαθῶν περὶ τελουμένων.

herige Erfüllung erwägen. Wir wollten die platonische Welt uns vorführen, und zwar aus doppeltem Grunde. Erstlich, um unter den Ideen die Idee des Guten zu finden: wir haben sie nicht gefunden. Zweitens, um aus der Gliederung, den Verhältnissen und Principien der platonischen Welt uns Grundsätze zu abstrahiren. Wie weit ist dies gelungen? Wir fanden zuerst eine dreifache Gliederung nach dem Eintheilungsgrunde der Erkenntniß, indem die Ideen und die körperlichen Dinge als Erkanntes den Seelen als Erkennendem gegenüber standen. Dieselben Glieder nur in anderer Zusammenstellung ergiebt ein neuer, jetzt gewonnener Eintheilungsgrund: die Ideen stehen als das ewig Seyende (ἀΐδιοι οὐσίαι) den körperlichen Dingen und Seelen als dem Gewordenen gegenüber. Was nun die Principien betrifft, so haben wir solche für das Seyn und die Ordnung des Gewordenen gefunden, also für die ganze Welt außer den Ideen, nur nicht für sie selber. Und doch sollen sie der eigentliche Gegenstand der Wissenschaft seyn. Die Vielheit dessen, was an einer Idee theilhat, ist durch dieselbe erklärt; allein es hat auch wieder jedes Einzelne an vielen Ideen Theil, deren es also beinahe ebensoviele giebt, als Dinge, die zu erklären sind; deßhalb bemerkt Aristoteles (Met. I, 9 p. 990, b, 2) mit Recht, daß die Platoniker verführen wie einer, der etwas zählen will und es besser zu zählen meint, wenn er es vorher multiplicirte. Ja es wäre, um die Ordnung der geschaffenen Welt zu verstehen, eine ungeordnete geschaffen worden. Die numerische Vielheit der Ideen nun war nicht aufzuheben und Aristoteles' Vorwurf bleibt; Ordnung aber und Einheit in dem Vielen war möglich. Nachdem wir also das Wesen der Ideen und ihre Verhältnisse zu den übrigen Gebieten des Seyenden erforscht, sind wir darauf geführt, auch nach ihrem Verhältnisse zu einander, nach der Ordnung und den einheitlichen Principien der Ideenwelt zu fragen. Da aber die Verhältnisse aus dem Wesen folgen müssen, so werden den Ausgangspunct für die hierauf gerichtete Untersuchung wiederum die Ideen bilden, aber nicht mehr in jener Unbestimmtheit wie zu Anfang dieses Theils, sondern nach ihrem Wesen, wie wir es im Laufe desselben kennen gelernt. Von diesem Ausgangspunct aus und mit dieser Richtung werden wir denn auch allein die Idee des Guten finden können, indem wir platonischer Weisung gemäß (Rep. VI, 511 c) von Ideen durch Ideen zu Ideen fortschreiten.

II. 2.

Auf Wahrheit lautete die Forderung, deren Erfüllung die Ideen waren und aus der sich als ihre erste Bedeutung die objectiver, hypostasirter Begriffe ergab. Dieselbe Forderung ist es, welche auch ihr gegenseitiges Verhältniß in dieser Rücksicht bestimmt. Die Begriffe werden miteinander verbunden im Urtheil des Verstandes; könnten nun zwei derselben mit gleichem Recht, in beliebiger Weise mit einer dritten verbunden werden, so wäre der Satz des Widerspruchs aufgehoben, es gäbe kein Kriterium der Wahrheit*). Wie also jeder Begriff an der entsprechenden

*) Aber scheint nicht gerade dies das Resultat des Parmenides? *Ἓν εἴτ' ἔστιν εἴτε μὴ ἔστιν, αὐτό τε καὶ τἆλλα καὶ πρὸς αὑτὰ καὶ πρὸς ἄλληλα πάντα πάντως ἐστί τε καὶ οὐκ ἔστι καὶ φαίνεταί τε καὶ οὐ φαίνεται. Ἀληθέστατα.* Hegel hat mit den Neuplatonikern in ihm die tiefsten Geheimnisse platonischen Wissens, neuere Forschungen wenigstens die angeblich reinste Fassung der Ideenlehre (Immanenz) als sein positives Ergebniß gefunden, während andere ihn nicht für das Werk Plato's sondern eines Skeptikers halten (Ueberweg, N. Jahrb. f. Ph. 89. Bd. (1864) S. 97 f.). Wir können zwar auch den letzteren nicht beistimmen, halten aber den ersteren gegenüber K. Fr. Hermann's (Gesch. u. System d. pl. Ph., 1839, S. 507 f. 665 f.) Urtheil für das richtige: „was platonische Dialektik ist, hat er selbst anderswo zu deutlich ausgesprochen und an den Beispielen im Sophisten und Politikus praktisch bethätigt, als daß wir dieses Spiel mit Begriffen, die ohne Verständigung über ihre Bedeutung in willkürliche Verbindungen gebracht werden, sey es mit Schleiermacher als ein gleichsam als formaler oder methodologischer Theil seiner eigentlich philosophischen Thätigkeit vorausgeschicktes Muster, sey es mit anderen als den reinsten Ausdruck der Ideenlehre und demgemäß als Gipfel und Maßstab der platonischen Methode selbst betrachten könnten, und je weniger er sich auch nur eines ähnlichen Verfahrens in anderen Werken bedient hat, desto sicherer dürfen wir annehmen, daß die Dialektik dieses Gesprächs nicht sowohl aus dem Geiste seines Systems als vielmehr aus der Nothwendigkeit hervorgegangen sey, die neuen Principien desselben auf Selbst-

Idee sein objectives und unveränderliches Maß hat, so auch ihre Verbindung an der Verbindung der Ideen, welche aus demselben Grunde objectiv und unveränderlich seyn muß. Welcher Art ist nun aber das Verhältniß der Ideen unter sich, wonach zwei Begriffe im Urtheil sich ausschließen, andere sich verbinden lassen? Nicht die Ideen, wie sie an und für sich sind, können sich widersprechen oder verbunden seyn. Denn sie liegen nicht in Kampf und Streit mit sich*), und wie wäre denn ihre Verbindung zu denken? Sie sind objectivirt, es ist also kein Ineinander, wie die Species im Genus ist; sie sind einfach und unräumlich, es ist also auch kein metaphysisches Ineinander, kein accidentelles Verhältniß, keine räumliche oder sonstige Durchdringung von Substanzen (auf Störungen, Selbsterhaltungen, unvollkommenes Zusammen ist Plato nicht verfallen); wenn sie also selbst in einander eingehen, so heißt dies nichts Anderes als daß sie theilweise identisch sind (Zeller II, 1, 428). Mag nun dies an und für sich denkbar seyn oder nicht, jedenfalls widerspricht es direct den Aussagen Plato's. Er sagt von den Ideen gegenüber den Dingen, in denen viele Bilder der Ideen zusammenfallen: *τῷ δὲ ὄντως ὄντι βοηθὸς ὁ δι᾽ ἀκριβείας ἀληθὴς λόγος, ὡς ἕως ἄν τι τὸ μὲν ἄλλο ᾖ, τὸ δὲ ἄλλο, οὐδέτερον ἐν οὐδετέρῳ ποτὲ γεγενημένον ἓν ἅμα ταὐτὸν καὶ δύο γενήσεσθον* (Tim. 52 c); er bezeichnet die einzelne

zersetzung der alten Lehre zu begründen." Nur von einer Begründung in positivem Sinne finde ich Nichts, der Parm. will die eleatische Lehre mit ihrer eigenen Methode ad absurdum führen, ähnlich wie der Euthydemus die Sophisten. (Gleicher Ansicht scheint Peipers, Götting. gel. Anz. 1869, Stück 3, S. 118 Note, zu seyn). Was aber die im 1. Theile gegen die eigene Lehre erhobenen Bedenken betrifft, so haben wir schon bemerkt, daß sie in keinem aller späteren Dialoge gelöst erscheinen, ihre Lösung also auch im Parm. nicht gesucht werden muß, wie sie denn auch jene Ausleger nur in „indirecten Andeutungen" (Susemihl I, 340) und nur in einer Weise zu finden wissen, die, wie wir gesehen, der ganzen Lehre widerspricht; sie ist vielmehr in der allerspätesten Zeit in anderer Weise, nämlich durch Läugnung der Ideen der Verhältnisse (Arist. Met. I, 9 p. 990, b, 15—17) erstrebt worden. (Ueber die Richtigkeit jener Auslegung vgl. Ueberweg a. a. O. S. 114 f.)

*) Rep. VI, 500 c: *κόσμῳ δὲ πάντα καὶ κατὰ λόγον ἔχοντα.*

Idee als *αὐτὸ καθ' αὑτὸ μεθ' αὑτοῦ μονοειδὲς ἀεὶ ὄν*, *οὐδέ που ὂν ἐν ἑτέρῳ τινί* (Symp. 211 a). Gegenüber diesen stärksten Ausdrücken, die für die Isolirung der Ideen sowohl von den Dingen als von einander nur denkbar sind, ist es unmöglich, irgend eine logische oder reelle Gemeinschaft derselben, wie sie an und für sich sind, anzunehmen; und dies bestätigt Aristoteles, der es als absurd für Plato's Lehre anführt, daß eine Idee aus anderen zusammengesetzt sey (Met. XIII, 7. p. 1082, a, 35: *συγκείσεται ἰδέα ἐξ ἰδεῶν*). Aber dennoch kann ihre Verbindung nicht bloß eine subjective seyn. Es ist also nur möglich, daß es die Verbindung, welche sie in dem Seyn des Einzelnen eingehen, ist, welche das Maß der Verbindung in dem erkennenden Verstande bildet. Und dies ist in der That Plato's ausgesprochene Meinung. Wir haben früher die Stelle des Soph. kennen gelernt, in welcher dem wahrhaft Seyenden sowohl Bewegung als Unbewegtheit zuerkannt wurde, und erläutert, wie die Bewegung der Ideen speciell zu denken sey, da sie ja nicht in derselben Weise bewegt und unbewegt seyn können. Wir folgen jetzt der eigenen weiteren Untersuchung Plato's. Er fragt sich, auf welche Weise wir denn einem und demselben Einzelnen Mehreres zuschreiben*), z. B. einem Menschen Farbe, Gestalt, Größe, Laster und Tugenden (— ein Beispiel, welches klar beweist, daß sich seine Untersuchung nicht auf die Verbindung der Ideen an und für sich sondern in dem Einzelnen bezieht). Er untersucht demgemäß, sein Wort an Alle richtend, die jemals über das Seyn nachgeforscht: ob gar keine Begriffe in irgend Etwas gemeinsam eingehen können**) oder

---

*) 251 a: *Λέγωμεν δὴ καθ' ὅν τινά ποτε τρόπον πολλοῖς ὀνόμασι ταὐτὸν τοῦτο ἑκάστοτε προσαγορεύομεν.* Daß dies überhaupt zulässig sey, scheint ihm selbstverständlich und nur von Denkschwachen zu läugnen (Antisthenes): 251 c, vgl. Parm. 129 c, d; Phil. 14 d, e.

**) 251 e: *μηδενὶ μηδὲν μηδεμίαν δύναμιν ἔχειν κοινωνίας εἰς μηδέν.* Auch das beständig (251 d, e; 252 d, e; 253 a ꝛc.) gebrauchte *δυνατόν*, *δύναμιν ἔχειν* zeugt für unsere Auffassung. Was seyend ist, hat die Fähigkeit bewegt zu seyn, wenn es auch nicht stets bewegt ist. Wäre von Verbindungen der Ideen an sich die Rede, so wäre von einer Fähigkeit nicht

alle oder einige, andere nicht. Das Erstere ist unmöglich; sowohl die Eleaten schreiben ihrem unbewegten Einen als auch Heraklit seiner Bewegung und die übrigen Jonier ihren Elementen wenigstens das Seyn zu, verbinden also mit dem Einen, der Ruhe, Bewegung rc. nothwendig das Seyn*). Aber auch das Zweite ist unmöglich: es würde sonst die Bewegung ruhen und die Ruhe in Bewegung seyn. Es bleibt also nur das Letzte; und diese Eigenthümlichkeit der Ideen, daß einige mit anderen im Seyn des Einzelnen sich verbinden können, nennt Plato **Gemeinschaft der Gattungen****). Durch sie sind die obigen Bedingungen der Ideenverbindung erfüllt; denn sie ist sowohl objectiv als unveränderlich (so oft Etwas in Ruhe oder in Bewegung ist, ist es seyend, und Alles was ruht, sowie was sich bewegt, ist seyend). Indem nun auch nur diese Ideen im Urtheil verbunden werden dürfen***), werden die Ideen, obgleich nicht

---

zu sprechen, sondern müßte einfach gefragt werden: **sind** alle oder irgendwelche mit einander verbunden oder nicht?

*) Mit der *κίνησις, στάσις, οὐσία* meint also Plato weder Ideen an und für sich, denn diese Philosophen nehmen keine an, noch Ideen, sofern sie bloß gedacht werden, im Verstande sind, denn subjective Gedanken waren die Elemente der Jonier rc. ebenfalls nicht, sondern die Ruhe, Bewegung, die Elemente rc. in den Dingen d. h. platonisch gesprochen Ideen, sofern sie (abgebildet) im Einzelnen sind. (Auch von den Elementen giebt es Ideen, Tim. 51 b)

**) *κοινωνία τῶν γενῶν*, auch *μεταλαμβάνειν, ξυμμίγνυσθαι, προσάπτεσθαι, ξυμφωνεῖν* 251 d f.

***) Vgl. 250 b: *τρίτον ἄρα τι παρὰ ταῦτα τὸ ὂν ἐν τῇ ψυχῇ τιθείς.* 251 d: *οὕτως αὐτὰ ἐν τοῖς παρ' ἡμῖν λόγοις τιθῶμεν.* Aber sind nicht auch Größe und Kleinheit, Aehnlichkeit und Unähnlichkeit im Einzelnen verbunden, die doch nicht von einander ausgesagt werden dürfen? Allerdings kommen sie dem Dinge oft zugleich, aber nur in verschiedenen Theilen oder im Vergleiche mit andern zu. Dasselbe kann in Bezug auf denselben Theil oder dasselbe Andere auch nach Plato nicht zugleich groß und klein, ähnlich und unähnlich seyn (Rep. IV, 436 c: *τὸ αὐτὸ ἅμα κατὰ τὸ αὐτό.* X, 602 e: *τῷ αὐτῷ ἅμα περὶ ταὐτά*) d. h. an den betreffenden Ideen theilhaben, welche sich darum in diesem strengen Sinne nicht bloß, wie die Ideen überhaupt, an und für sich (Parm. 129 a f.: *ἐὰν δέ τις . . . ἐν ἑαυτοῖς ταῦτα δυνάμενα συγκεράννυσθαι καὶ διακρίνεσθαι ἀποφαίνῃ, ἀγαίμην ἂν ἔγωγ', ἔφη, θαυμαστῶς*), sondern auch im Seyn des Einzelnen (Phaedo 102 d f.: *ἐμοὶ γὰρ φαίνεται οὐ μόνον αὐτὸ τὸ μέγεθος οὐδέποτ' ἐθέλειν ἅμα μέγα κα σμικρὸν εἶναι, ἀλλὰ καὶ τὸ ἐν ἡμῖν μέγεθος οὐδέποτε προσδέ-*

selbst Urtheil und Wissenschaft (Symp. 211 a), doch Grundlage der höchsten und genauesten Wissenschaft (Soph. 253 c, vgl. Phil. 58 a, Rep. VII, 534 e etc.); und diese Wissenschaft von der Gemeinschaft der Gattungen nennt er Dialektik (253 d).

Nun muß zunächst nach einem Maßstabe gefragt werden, wonach diese Möglichkeit der Verbindung der Ideen genau zu bestimmen ist. Aus dem Wesen der Ideen als hypostasirter Begriffe ergiebt sich, daß es kein anderer als der der Allgemeinheit seyn kann; der weniger allgemeine Begriff führt den allgemeineren stets mit sich. Daher bestimmt die Dialektik die Möglichkeit jener Verbindung der Ideen, indem sie dieselben nach ihrer Allgemeinheit ordnet, d. h. ihrer natürlichen Gliederung gemäß (*κατ' ἄρθρα ᾗ πέφυκε*) in höhere Gattungen zusammenfaßt und in niedere theilt*). Nach diesem Maßstabe hat denn auch Plato in eigener dialektischer Untersuchung sowohl den Anfang einer solchen Ordnung (das Seyn, die Identität und Verschiedenheit, Aehnlichkeit und Unähnlichkeit, Ruhe und Bewegung als die höchsten Gattungen**)), als auch längere Eintheilungen im Einzelnen (die begrifflichen Spaltungen der Künste, um den Begriff einer bestimmten Kunst zu finden, im Soph. und Pol.***)) gegeben.

χεσθαι τὸ σμικρόν) und in Folge dessen im Urtheil (Rep. VII, 524 c: *διὰ δὲ τὴν τούτου σαφήνειαν μέγα αὖ καὶ σμικρὸν ἡ νόησις ἠναγκάσθη ἰδεῖν, οὐ συγκεχυμένα ἀλλὰ διωρισμένα*) ausschließen.

*) Soph. 253 c f.: *τὸ κατὰ γένη διαιρεῖσθαι καὶ μήτε ταὐτὸν ὂν εἶδος ἕτερον ἡγήσασθαι μήτε ἕτερον ὂν ταὐτὸν μῶν οὐ τῆς διαλεκτικῆς φήσομεν ἐπιστήμης εἶναι; ... τοῦτο δ' ἔστιν, ᾗ τε κοινωνεῖν ἕκαστα δύναται, καὶ ὅπῃ μή, διακρίνειν κατὰ γένος ἐπίστασθαι.* Phaedr. 265 d — 266 c: *εἰς μίαν τε ἰδέαν συνορῶντα ἄγειν τὰ πολλαχῇ διεσπαρμένα ... τὸ πάλιν κατ' εἴδη δύνασθαι τέμνειν, κατ' ἄρθρα ᾗ πέφυκε, καὶ μὴ ἐπιχειρεῖν καταγνύναι μέρος μηδέν, κακοῦ μαγείρου τρόπῳ χρώμενον κ. τ. λ.*

**) Soph. 254 d f.: *μέγιστα τῶν γενῶν.* Theaet. 185 c: *τό τ' ἐπὶ πᾶσι κοινόν .. ᾧ τὸ ἔστιν ἐπονομάζεις.* 186 a: *πότερον οὖν τίθης τὴν οὐσίαν; τοῦτο γὰρ μάλιστα ἐπὶ πάντων παρέπεται.*

***) Wenn es uns auch schwer fällt, in dieser Ordnung menschlicher Angelegenheiten die der Ideen zu vermuthen, so sehe ich doch keine Möglichkeit, dieser Annahme auszuweichen. Denn von allem Vielen, dem der gleiche Name zukommt, also auch von den Künsten Einer Art, giebt es Ideen. Man kann darum diese Eintheilungen weder für Scherz nehmen, es möchte

Sodann fragt es sich nach dem realen Grunde dieser Eigenthümlichkeit; woher es komme, daß z. B. gerade die Idee des Seyns mit allen übrigen verbunden ist, und nicht eine andere. Der Grund kann nicht im Einzelnen liegen, worin sie verbunden sind, denn hier ist außer den Ideen nur die Materie, und diese hat eine andere Bedeutung (II. 1.), er muß also in den Ideen selbst liegen. Darum hält Plato die sinnliche Erfahrung für keineswegs wesentlich, um jene Verbindung der Ideen zu erkennen; wie wir an ihr der einzelnen Ideen uns zwar erinnern, aber sie nicht erst aus ihr gewinnen (II. 1), so dient sie auch der Dialektik, die deren Verbindung erforscht, wohl als Anregung*), aber nicht als wirklicher Anfang (wie der Mathematik, welche aus ihr z. B. die Existenz dreier Arten von Winkeln entnimmt und ihrer Erörterung zu Grunde legt); gleichsam als Sprungbrett, um von da in den Ideen auf- und abzusteigen, ohne das Sinnliche irgendwie mehr hinzuzunehmen (Rep. VI, 511 b). Begreiflicherweise hat dies Ideal der Dialektik keine Ausführung erlangt. Aber auch der obige Grund war nicht näher anzugeben. Wären die Ideen nicht hypostasirt, so wäre es wenigstens möglich gewesen zu sagen: die allgemeineren Begriffe sind darum mit den speciellen verbunden, weil sie diese selbst, nur in unbestimmterer Weise gedacht, sind. Daran konnte natürlich Plato nicht mehr denken; er spricht darum nie von

---

sonst auch uns ein Parmenides zurückweisen, noch eine Trennung von Abstractionen und Ideen, εἶδος und ἰδέα annehmen (wie schon der Neuplatoniker Syrian, in neuerer Zeit Arnold, Schleiermacher, Steinhart; dagegen s. Zeller 421, Bonitz platonische Studien (in d. Sitzungsber. d. Wiener Akademie philos.-hist. Classe, 1858 u. 1860) II, 319. Michelis faßt seine Unterscheidung der Real- und Formalbegriffe nur als eine, die Plato hätte machen sollen, aber nicht machte. Cohen, a. a. O. 435 f., findet einen „psychologischen" Unterschied zwischen den Ausdrücken εἶδος und ἰδέα, was jedenfalls für unsere Frage Nichts zu bedeuten hätte, da es doch für jedes εἶδος eine ἰδέα geben muß).

*) Rep. VII, 523 b f. (παρακλητικὸν καὶ ἐγερτικὸν τῆς νοήσεως, ἀγωγὰ πρὸς ἀλήθειαν, indem nämlich Entgegengesetztes und unendlich Vieles an Demselben sich findet).

Identität des *γένος* und *εἶδος* *) sondern nur von einem Zusammenvorkommen, Verbundenseyn, Ausgespanntseyn, Hindurchgehen, Umschlingen**), was eben die obige Frage noch übrig läßt. Aristoteles macht deßhalb gegen die Ideenlehre geltend, daß die Einheit der Definition nach ihr undenkbar sey***). Für Plato selbst tritt die Schwierigkeit am stärksten hervor durch die Hypostasirung der Affirmation und Negation im Urtheil†), da diese rein subjectiv sind, während die meisten der anderen Begriffe wenigstens in gewisser Weise auch objectiv sind. Daher verwickelt sich der Soph. schließlich in folgenden Cirkel. Er sucht die Möglichkeit des Irrthums, der Falschheit nachzuweisen, um eine Definition des Sophisten zu finden. Der Irrthum spricht vom Nichtseyenden als von einem Seyenden (240 e f., 263 b). Was ein Anderes nicht ist, ist aber verschieden von ihm, das Nichtseyende ist nichts anderes als das Verschiedene (258 b) d. h. selbst ein Seyendes (258 c: *ἐνάριθμον τῶν πολλῶν ὄντων εἶδος ἕν*). Daraus folgt, daß es gar kein Nichtseyendes, also keinen Irrthum giebt. Diese Schwierigkeit hat Plato wohl gefühlt, unterläßt nie, sie hervorzuheben (236 e u. ö., Euthyd. 286 c, Crat. 429 c f., Theaet. 167 d, Phil. 36 c f.), fordert den, der sie geltend macht, auf, etwas Besseres zu geben (258 e f.)††), und weist die Möglichkeit der Falschheit an einem

---

*) Bezeichnungen, die er, da ihm das Verhältniß selbst unbestimmt blieb, auch nicht von einander unterscheidet, s. Zeller 397, A. 2.

**) Soph. 253 d: *μίαν ἰδέαν διὰ πολλῶν, ἑνὸς ἑκάστου κειμένου χωρίς, πάντῃ διατεταμένην.. καὶ πολλὰς ἑτέρας ἀλλήλων ὑπὸ μιᾶς ἔξωθεν περιεχομένας, καὶ μίαν αὖ δι' ὅλων πολλῶν ἐν ἑνὶ ξυνημμένην, καὶ πολλὰς χωρὶς πάντῃ διωρισμένας.* Vgl. ob. S. 49 A. 2.

***) Met. VII, 14 (tadelt auch die Unbestimmtheit der oben und in der vor. Anm. angeführten Ausdrücke, welche das Verhältniß von genus und species ersetzen sollen, p. 1039, b, 5: *ἀλλ' ἴσως σύγκειται καὶ ἅπτεται ἢ μέμικται· ἀλλὰ πάντα ἄτοπα*). VIII, 6 und a. a. O. Vgl. I, 9. p. 991, b, 21: *ἐκ πολλῶν ἀριθμῶν εἷς ἀριθμὸς γίνεται, ἐξ εἰδῶν δὲ ἓν εἶδος πῶς;*

†) Vgl. Michelis II, 271 f.; Bonitz pl. St. II, 333.

††) Aristoteles hebt sie durch Unterscheidung der Bedeutungen des Seyns, speciell durch das *ὂν ὡς ἀληθές* (s. Brentano, von den mannichfachen Bedeutungen des Seyenden nach Aristoteles, 1862, S. 21 f.). Ansätze hiezu:

Beispiele nach*). Wir müssen also die letzte unserer Fragen nach dem Verhältnisse der Ideen als hypostasirter Begriffe zu einander ohne Antwort lassen.

Sehen wir nun, was durch das Bisherige für unsere beiden Zwecke erreicht ist. Wir hatten (II. 1.) für die Einzelurtheile einen Grundsatz kennen gelernt, nach dem sie in metaphysische Verhältnisse zu übersetzen waren; einen solchen haben wir jetzt auch für die Urtheile, worin Ideen verbunden werden: Alles, was an der ersten Idee theilhat, hat auch an der zweiten Theil (z. B. „die Bewegung ist" heißt: was an der Bewegung theilhat, hat am Seyn Theil). Jedoch wird auch von den Ideen im Allgemeinen Vieles prädicirt, was dann natürlich auch jeder Idee zukommt z. B. Unvergänglichkeit, Unräumlichkeit, Denken, Bewegung; darüber wird noch zu untersuchen seyn. Wir strebten zweitens die Idee des Guten zu finden. In der That wird sie uns als das Ziel der Dialektik angegeben**). Nun kann zwar Ziel der Dialektik jede Idee seyn, wenn sich die Dialektik auf sie richtet und sie auf obige Art in ihrem Verhältnisse zu anderen Ideen betrachtet. Die Idee des Guten

---

Soph. 240 b, Tim. 38 b (τὸ μὴ ὂν μὴ ὂν εἶναι, ὧν οὐδὲν ἀκριβῶς λέγομεν), Rep. VI, 509 b (s. u.).

*) Theätetus sitzt — Theätetus fliegt (263 a). Am Schlusse nähert er sich der richtigen Auffassung, daß die Negation und die Falschheit im Urtheile seyen (263 d: ταῦτα τὰ γένη ψευδῆ τε καὶ ἀληθῆ πάνθ' ἡμῶν ἐν ταῖς ψυχαῖς ἐγγίγνεται, e: καὶ μὴν ἐν λόγοις .. ἴσμεν ὄν .. φάσιν τε καὶ ἀπόφασιν), aber auch dies kann nur Mischung desselben mit dem Nichtseyn bedeuten (vgl. 260 c: μιγνυμένου δὲ [τοῦ μὴ ὄντος] δόξα τε ψευδὴς γίγνεται καὶ λόγος) d. h. Zugleichtheilhaben an der Idee des Nichtseyns und den betreffenden anderen. Diese Schwierigkeit scheint die Hauptursache gewesen zu seyn, weßhalb Plato in der spätesten Zeit die Ideen der Negationen läugnete (τῶν ἀποφάσεων, Arist. Met. I, 9. p. 990, b, 13).

**) Rep. VII, 534 b: ἦ καὶ διαλεκτικὸν καλεῖς τὸν λόγον ἑκάστου λαμβάνοντα τῆς οὐσίας; καὶ τὸν μὴ ἔχοντα, καθ' ὅσον ἂν μὴ ἔχῃ λόγον αὑτῷ τε καὶ ἄλλῳ διδόναι, κατὰ τοσοῦτον νοῦν περὶ τούτου οὐ φήσεις ἔχειν; ... Οὐκοῦν καὶ περὶ τοῦ ἀγαθοῦ ὡσαύτως· ὃς ἂν μὴ ἔχῃ διορίσασθαι τῷ λόγῳ ἀπὸ τῶν ἄλλων πάντων ἀφελὼν τὴν τοῦ ἀγαθοῦ ἰδέαν, καὶ ὥσπερ ἐν μάχῃ διὰ πάντων ἐλέγχων διεξιών ... οὔτε αὐτὸ τὸ ἀγαθὸν φήσεις εἰδέναι τὸν οὕτως ἔχοντα οὔτε ἄλλο ἀγαθὸν οὐδέν.

wird aber auch schlechthin als höchstes Erkenntnißobject bezeichnet*), sie muß also irgendwie als die höchste erscheinen. An Allgemeinheit steht ihr die Idee des Seyns zum Mindesten gleich, da sie mit allen übrigen verbunden ist. Es muß also außer der Allgemeinheit noch ein Maßstab und eine Ordnung nach demselben in der Ideenwelt bestehen. Beides ist durch die zweite Bedeutung der Ideen (s. II. 1.) gegeben.

Die Ideen sind nämlich nicht bloß hypostasirte Allgemeinheiten, sondern auch Urbilder alles Gewordenen. Indem wir nun aus diesem Gesichtspuncte ein Verhältniß unter ihnen zu bestimmen suchen, müssen wir uns vor einer Vermischung desselben mit dem vorigen hüten, wonach sich die Artidee zur Gattungsidee verhielte wie das Einzelne zur Artidee, die allgemeinere Idee also immer das *παράδειγμα* der besondern wäre**). Denn das Urbild ist vollkommener als das Abbild. Zwischen Gattungsidee und Artidee findet aber in vielen Fällen eher das Gegentheil statt, z. B. zwischen der Idee der Bewegung und der der geistigen Bewegung; der geistigen Beschaffenheit und der Gerechtigkeit. Denn da die Bewegung auch eine sinnliche, die geistige Beschaffenheit auch eine schlechte seyn kann, so stehen diese Gattungsideen hinsichtlich der Vollkommenheit durch ihre Unbestimmtheit eher unter als über den Artideen. Ferner gilt auch gegen diese Annahme die Unmöglichkeit, daß eine andere Idee als die des Seyns zur höchsten werde; denn der Maßstab der Ueberordnung ist auch hier Allgemeinheit***). Dies bestä-

*) Rep. VI, 503 e, 504 d u. ö.: *μέγιστον μάθημα.*

**) Ueberweg, Grdr. d. Gesch. d. Ph. I, 118; u. A. Die Ausdrücke *κοινωνεῖν* etc. (s. o.) können nichts beweisen. Auch das Verhältniß des Erkennens wird so bezeichnet Soph. 248 a, b (*κοινωνεῖν*), 254 a (*προςκεῖσθαι*), Rep. VI, 490 b (*ἐφάπτεσθαι, μίγνυσθαι*).

***) Ueberhaupt scheint unter den Besprechungen der Ideenlehre keine die Stellung der Idee des Guten als der obersten in strenger Weise aus dem System verständlich zu machen. Bonitz, disp. Pl. I, 25; Brandis, Handb. II, 1, 324, Zeller 448 geben nur das Factum; Steinhart IV, 581 f., Ribbing I, 340 nur die historische Begründung (aus der ethischen Richtung der Sokratiker), nicht die systematische; Susemihl I, 349 folgende „genetische" aus dem *ἐξαίφνης* des Parmenides, wodurch das Werden geläugnet (nur als relative Negation

tigt endlich wiederum Aristoteles, indem er mit einem solchen Verhältniß die Ideenlehre ad absurdum zu führen glaubt*). Wir müssen also, wollen wir aus der Bedeutung der Urbildlichkeit auf

anerkannt) und zu den Eleaten zurückgekehrt sey: „in diesem Umwege liegt die große Bereicherung, daß nunmehr das absolute Seyn sich mit dem Werden in diesem Sinne nicht bloß verträgt, sondern sich vielmehr erst eigentlich in demselben bethätigt. Durch das Werden allein meistert es das absolute Nichtseyn, ohne doch zugleich wieder von ihm gemeistert zu werden, weil die Idee in höchster Instanz, d. h. in dieser ihrer punctuellen Indifferenz über allen Gegensatz, mithin selbst über den des Seyns und Nichtseyns und der Einheit und Vielheit erhaben ist. So liegt gerade in dem Begriffe des Augenblicks die — freilich hier noch nicht angedeutete — Nothwendigkeit, selbst die Idee des Seyns noch nicht für die höchste zu erklären, sondern über ihr die gegensatzlose Idee des Vollkommenen, Absoluten oder metaphysisch Guten als die wahrhafte Realität der Ideenwelt anzuerkennen, wie diese letztere es von der sinnlichen Welt ist. Diese Idee ist aber erhaben über allen Gegensatz eben nur dadurch, daß sie ihn ewig aus sich entlassen — darauf beruht das Fürsichseyn der Ideen — und ewig in sich selbst zurückgenommen und wieder aufgelöst hat" u. s. w. Parmenides ist hier wieder einmal ohne seine Schuld Stützpunct der Phantasie geworden, mit der man die Alten in moderne Gewänder kleidet. Plato hat sicherlich aus dem Gegensatze von Seyn und Nichtseyn so wenig als aus dem „Dualismus" von Seyn und Erkennen (I, 360), so lange er nichts weiter ist, irgend etwas gefolgert, geschweige denn ein Absolutes. Ohnehin steht der Idee des Guten gerade so die des Schlechten gegenüber wie der Idee des Seyns die des Nichtseyns (Theaet. 186 a; Rep. V, 476 a), ja sie hat denselben Anspruch auf Existenz wie die des Guten, denn das Wissen des Entgegengesetzten ist Eines (Phaedo 97 d: *οὐδὲν ἀλλὸ σκοπεῖν προσήκειν ἀνθρώπῳ.. ἢ τὸ ἄριστον καὶ τὸ βέλτιστον· ἀναγκαῖον δὲ εἶναι τὸν αὐτὸν τοῦτον καὶ τὸ χεῖρον εἰδέναι· τὴν αὐτὴν γὰρ εἶναι ἐπιστήμην περὶ αὐτῶν*). Sie verursacht allerdings wie überhaupt die Ideen des Unvollkommenen, deren auch Parm. welche kennt, einige Inconvenienzen und auch deßhalb mögen die Ideen des Negativen zuletzt geläugnet worden seyn (vgl. ob. S. 53), aber in den Dialogen findet sich dies nicht. Was Susemihl vorbringt, ist darum weder als systematische Nothwendigkeit noch als Motiv der Entwickelung zulässig.

Nicht viel besser führt Michelis die Idee des Guten ein (I, 199): „wie wir in dem Satze, daß seinem Wesen nach das Seyn weder beharre noch sich bewege (Soph. 250 c), obwohl er scheinbar das Denken zur vollen Verzweiflung bringt, den Sinn ahnen, daß es, wenn es dennoch ist, etwas ist, was diesen Gegensatz in höherer Weise überwunden und aufgelöst in sich trägt." (Eine ähnliche Ahnung aus Phaedrus s. II, 22.)

*) Met. I, 9. p. 991, a, 29: *ἔτι οὐ μόνον τῶν αἰσθητῶν παραδείγματα τὰ εἴδη, ἀλλὰ καὶ αὐτῶν τῶν ἰδεῶν, οἷον τὸ γένος, ὡς γένος εἰδῶν· ὥστε τὸ αὐτὸ ἔσται παράδειγμα καὶ εἰκών.*

das Verhältniß schließen, die andere ausschließen, und so erhalten wir einen neuen Maßstab für eine Ordnung der Ideen (welche aber die erste keineswegs überhaupt ausschließt, indem die Ideen gemäß den verschiedenen Seiten ihres Wesens in verschiedenen natürlichen Verhältnissen zu einander stehen); es ist die Eigenschaft, welche den Ideen als Urbildern zukommt, die (relative) Vollkommenheit. Dadurch unterscheiden sie sich nicht bloß vom Einzelnen, indem jede in ihrer Art das Höchste ist, sondern auch unter sich und zwar in derselben Weise, wie sich das Einzelne, was unter Eine Idee fällt (z. B. das Lebendige), unter sich unterscheidet, nämlich durch den Grad der Vollkommenheit. Bei der hiernach zu bestimmenden Ordnung hindert Nichts, daß sie den Ideen an und für sich zukomme, sie verlangt keine schwierige Ideenassociation, keine geheimnißvolle Durchdringung, Verschlingung, Umarmung von Substanzen, sondern jede Idee ist eben vollkommen in sich, aber die eine mehr, die andere weniger. Auch diese Ordnung ist ihrem Anfang und einigen Gliedern nach angegeben*). Selbstverständlich steht jetzt die Idee des Guten über allen; aus den übrigen leuchtet ferner hervor die Idee der Schönheit, die auch in den irdischen Abbildern das Hellste und am meisten in die Augen Fallende ist (**Phaedr. 250 b** f.; **Symp. 210e—212a**; vgl. die flgd. Stellen), die der Wahrheit und des Ebenmaßes (**Phil. 65 a**), der reinen Erkenntniß, Gerechtigkeit, Besonnenheit (**Phaedr. 247 d, Rep. V, 479 a; VI, 501 b**) u. s. f.

Wir mußten bei der vorigen Ordnung der Ideen schließlich nach einem Grunde derselben in den Ideen an und für sich fragen. Diese zweite Ordnung kommt zwar schon selbst den Ideen an und für sich zu, aber dennoch können auch für sie

*) Wenn eine Ideenreihe aufgeführt wird, ist sie stets nach einer der beiden Rücksichten geordnet. Für die erste s. bes. Soph. 254 c f., für die zweite Parm. 130 b f. (zuerst *δικαίου τι εἶδος αὐτὸ καθ᾽ αὐτὸ καὶ καλοῦ καὶ ἀγαθοῦ καὶ πάντων αὖ τῶν τοιούτων*, dann *ἀνθρώπου ἢ πυρὸς ἢ καὶ ὕδατος*, endlich auch Ideen von *θρὶξ καὶ πηλὸς καὶ ῥύπος ἢ ἄλλο ὅ τι ἀτιμότατόν τε καὶ φαυλότατον*), aber auch die übrigen zu beiden Ordnungen angef. Stellen.

noch weitere Gründe bestehen, ja sie erweisen sich als nothwendig, und wir werden damit von der Erforschung der Verhältnisse auch bei den Ideen auf die der Principien geführt. Wir fanden nämlich die Ordnung der Ideen gleich der des Einzelnen, welches unter Eine Idee fällt, soferne in beiden Gebieten eine Abstufung der Vollkommenheit besteht. Da sich nun dort, wenn Vieles einen gemeinsamen Namen trägt z. B. den des Lebendigen, immer ein Vollkommenstes (die Idee) über sie erhebt, welches diesen Namen in besonderem Sinne trägt (das an sich Lebendige), so muß auch hier das Vollkommenste unter Allem, was den Namen der Idee trägt, sich als Idee der Ideen über die anderen erheben. Dieses Vollkommenste ist aber, wie wir weiter fanden, die Idee des Guten. Sie muß demnach in besonderem Sinne Idee genannt werden und sich zu den übrigen Ideen verhalten, wie jede derselben zum betreffenden Einzelnen, als Urbild. Was auf diese Weise aus dem System folgt, ist auch durch Plato's Aussage gegeben und zwar zunächst in der berühmten Stelle der Republik über die Idee des Guten, zu der wir uns darum jetzt wenden.

Der Erklärung dieser Stelle, die wir so oft mißlingen sahen, ist durch das Bisherige bereits vorgearbeitet, da sie vielfach Gelegenheit bietet, an schon festgestellte Puncte anzuknüpfen. Auch ihre Darstellungsweise ist uns nicht ungünstig. Sie ist Analogie — eine Form, welche für alles Andere ungenau, für Verhältnisse völlig genau ist; denn sie giebt Gleichheit derselben zwischen Verschiedenem an. Was Anderes aber suchten wir in der ganzen Untersuchung und auch jetzt als eben Verhältnisse? Freilich läßt sich erwarten, daß auch dieses Gleichniß, wie alle, hinken wird, aber wir werden sehen, daß Plato es, ehe es dazu kommt, fallen läßt. Warum er aber dann überhaupt diese Form wählte, wird die Betrachtung des Inhalts lehren müssen. Wir geben zuerst eine kurze Einordnung der Stelle in das Ganze des Dialoges, dann ein Schema mit Erläuterungen, dann das, was aus ihr über die Stellung der Idee des Guten im System zu entnehmen ist.

Der Zweck der Republik ist, von der Gerechtigkeit im Einzelnen wie im Staate nachzuweisen, was sie ist, wie sie erzielt wird und wie sie verloren geht. Die Verfolgung dieses Zweckes nach den beiden ersten Beziehungen ist nicht völlig strenge gesondert. Die Nachweisung des Begriffs geschieht auf doppeltem Wege. Zuerst durch Construction des besten Staates, aus welcher sich als ihre Definition ergiebt, daß jeder Theil das Seinige thue, und da das Individuum dem Staate analog aus drei Theilen bestehe, gelte hier dieselbe Definition. Dies der kürzere aber ungenauere Weg (bis IV, 435 d), den anderen werden wir sogleich finden. Die Nachweisung, wie sie erzielt wird, ist zum Theil im Vorherigen enthalten, wird dann (in den Vorschriften zur Bildung der Wächter) fortgesetzt und gipfelt in der Erörterung über die Erziehung der Staatslenker (VI, 502 c. cap. 15 ff.)*); in diese fällt unsere Stelle. Der Staat, wurde behauptet, wird dem gegebenen Begriffe der Gerechtigkeit entsprechen, wenn die Philosophen Könige oder die Könige Philosophen werden; denn der Philosoph allein erkennt die Idee der Gerechtigkeit, nach welcher der Staat zu ordnen ist (500 e). Da aber diese Erkenntniß keine ungenaue seyn darf, so muß er nicht den eben betretenen, sondern den genauesten wenn auch schwierigsten Weg einschlagen, d. i. die Erkenntniß aller übrigen Ideen, also auch der der Gerechtigkeit aus und in der Idee des Guten. Dieser Weg wird nun durch nähere Bestimmung des Zieles und der einzelnen Durchgangspuncte vorgezeichnet.

Vorbemerkungen.

1) (505 a, b) Die Idee des Guten ist der höchste Gegenstand des Wissens; durch sie wird das Gerechte und alles Andere erst

---

*) Die Nachweisung ihres Unterganges ist zu Ende des 4. Buches eingeleitet und im 8. u. 9. B. ausgeführt. Das 10. B. bringt eine Ergänzung in der zweiten Beziehung (— 608 c) und einen Abschluß des Ganzen (die Siegespreise der Gerechtigkeit).

ersprießlich. Freilich kennen wir sie nicht genau*). Ohne ihre Kenntniß nützt aber keine andere, wie kein Besitz, der nicht gut ist**).

2) (505 b med. — 506 b, cap. 17) Sie ist weder Lust noch Einsicht. Beim Guten begnügen wir uns auch nicht, wie oft beim Gerechten und Schönen, mit dem Schein, sondern nur mit ihm selbst. Zwar weiß nicht Jeder, was das wahrhaft Gute ist, abęr der Hüter des Staates wenigstens muß das Gerechte und Schöne kennen, wieferne es gut ist.

3) (506 b — 507 b) Was nun die Idee des G. wirklich sey, ist schwer zu sagen; es muß für jetzt genügen, ihren ihr analogen Sprößling***) anzugeben.

Erste Analogie.

(507 b — 508 c) Wir unterscheiden Ideen als Gegenstände unserer geistigen und Dinge als Gegenstände unserer sinnlichen Erkenntniß. Der edelste der Sinne, mit denen wir die letzteren erfassen, das Sehvermögen, bedarf außer dem wahrzunehmenden Gegenstande noch eines Mediums, des Lichtes†). Dieses

---

*) Ihre Kenntniß wird also, wie auch 505 e, 506 a so weit verlangt, als sie möglich ist, eine hinlängliche Kenntniß (ἱκανῶς). Auch 509 c: ἑκὼν οὐκ ἀπολείψω setzt ein Hinderniß voraus, welches nicht durch unsere Kraft zu überwinden ist, und welches nach 506 d: ἀρκέσει γὰρ ἡμῖν, κἂν ὥσπερ δικαιοσύνης πέρι καὶ σωφροσύνης καὶ τῶν ἄλλων διῆλθες, οὕτω καὶ περὶ τοῦ ἀγαθοῦ διέλθῃς. Καὶ γὰρ ἐμοὶ .. καὶ μάλα ἀρκέσει· ἀλλ' ὅπως μὴ οὐχ οἷός τ' ἔσομαι sogar eine andere Art der Erörterung (Analogie) als bei den übrigen Ideen (Dialektik) nöthig macht. Daß „für den gegenwärtigen Anlauf, die gegenwärtige Gelegenheit" nicht Mehr gegeben werden könne (506 e, 509 c) ist offenbar eine Entschuldigung des Sokrates den dringenden Fragern gegenüber; denn es wird nirgends Mehr gegeben.

**) In diesen Vorbemerkungen, die hauptsächlich falsche Vorstellungen abwehren, wird darum mehr von dem gesprochen, was überhaupt den Namen des Guten führt, also zunächst vom Einzelnen, den Gütern, worin sich aber die Eigenthümlichkeit der Idee nothwendig spiegelt.

***) Unter den Bezeichnungen τόκος, ἔκγονος ist, obgleich sie hier auch die Nebenbedeutung des Zinses haben, doch auch wirklich das Verhältniß der Causalität gemeint, denn auf das ὃν ἐγέννησεν (508 b), φῶς καὶ τὸν τούτου κύριον τεκοῦσα (VII, 517 c) würde jene Nebenbedeutung nicht passen.

†) Nach Plato's Ansicht (Tim. 45 b f., Soph. 266 c und an unserer

stammt von einem der göttlichen Gestirne, der Sonne: und in ihr haben wir jenen Sprößling der Idee des Guten, der im Reiche des Sinnlichen dasselbe ist, was sie im Reiche des Geistigen*).

Stelle) entsteht durch das sowohl aus den Augen als aus dem Gegenstande strömende Licht das Bild des letzteren, welches zum Auge zurück- und durch den Körper zur Seele dringend die Wahrnehmung bildet. Die übrigen Bedingungen derselben sind das Auge (körperl. Organ), die ihm innewohnende Sehkraft und die dem Dinge innewohnende Farbe.

*) In Proportion:

Verstand: Ideen: Idee d. G. = Sehkraft: Gesehenem: Sonne (508 c: *ὅ τι περ αὐτὸ ἐν τῷ νοητῷ τόπῳ πρός τε νοῦν καὶ τὰ νοούμενα, τοῦτο τοῦτον ἐν τῷ ὁρατῷ πρός τε ὄψιν καὶ τὰ ὁρώμενα*). Welches Analogon findet nun aber das Licht im Geistigen? Plotin (s. I, 3) deutet es auf die Idee d. G., Steinhart (V, 212) auf die Vernunft, Susemihl, der dies rügt, gleich unrichtig auf die Ideen (II, 195). Ja es scheint eigentlich ganz herauszufallen; denn der Sehkraft entspricht die Erkenntnißkraft der Seele, der Farbe die Erkennbarkeit der Ideen, und sind nicht damit die Bedingungen der geistigen Erkenntniß gegeben? Allerdings, es giebt keine Substanz, der das Licht entspräche; aber wohl Relationen, und darin liegt die Bedeutung des Lichtes für die Analogie; es dient nämlich, die Verhältnisse ihrer Glieder anzugeben, ist deren Exponent; und da wir aus dem letzten Theil der Proportion über den ersten belehrt werden sollen, geben uns die Eigenthümlichkeiten des Lichtes den Schlüssel zur ganzen Vergleichung:

(Erste Relation) Die eigenthümliche Natur des Lichtes (507 d: *γένος τρίτον ἰδίᾳ ἐπ' αὐτὸ τοῦτο πεφυκός*) ist die des Mediums d. h. derjenigen unter den Bedingungen des Sehens, welche sowohl im Gesehenen als im Sehenden liegt und beide verbindet (s. oben). Was in Zweien zugleich ist und sie verbindet, kann beim Geistigen nichts anderes als ein Verhältniß, eine Relation seyn; welches ist nun das Verhältniß zwischen Erkennendem und Erkanntem, das die Erkenntniß bedingt? Offenbar das, wonach, sobald sich das erstere auf das letztere richtet, wirkliche Erkenntniß entsteht (s. im Text 1). Woher dies Verhältniß? Wie das Licht von der Sonne, so stammt es von der Idee des Guten, welche also, indem sie die Möglichkeit des Erkennens dem Erkennenden, des Erkanntwerdens dem Erkanntwerdenden verleiht (s. im Text 1, vgl. VII, 540 a: *τὸ πᾶσι φῶς παρέχον* — woraus sich die Richtigkeit unserer Deutung des Lichtes ergiebt —; unter der *δύναμις τοῦ γιγνώσκειν* 508 e ist nicht der *νοῦς* gemeint, sondern der eine Terminus des obigen Verhältnisses, daher auch im Vorhergehenden nur gesagt wird: *νοῦν ἔχειν φαίνεται*), auch Ursache der wirklichen Erkenntniß ist (s. im Text 1). Hierin sind zwei neue Relationen und zwar zwischen der Idee des Guten einerseits, den Ideen und Seelen andrer-

1) (508 c — e) Wie wir nur im Tageslicht, nicht beim nächtlichen Scheine deutlich sehen, ja erst da Sehkraft zu besitzen scheinen, so erkennt die Seele deutlich nicht das Entstehende und Vergehende, sondern nur das von der Wahrheit und dem Seyn Erleuchtete und scheint erst diesem gegenüber Erkenntnißkraft zu besitzen. Das nun, was die Möglichkeit des Erkennens dem Erkennenden wie die des Erkanntwerdens dem Er-

---

seits gegeben. Die Verleihung des Lichtes durch die Sonne involvirt nämlich zunächst,

(zweite Relation) daß sie es selbst fortwährend besitze (508 a: *τούτου κύριον, οὗ ἡμῖν τὸ φῶς κ. τ. λ.*) und so das Auge, welches es durch sie gleichfalls besitzt, ihr ähnlich sey (508 b: *ἡλιοειδέστατον*). So besitzt demnach auch die Idee d. G. fortwährend selbst jenes Verhältniß zwischen Erkennendem und Erkanntem, welches Bedingung der Erkenntniß ist (vgl. VII, 518 c: *τοῦ ὄντος τὸ φανότατον*, wo das Bild tropisch für die Sache gesetzt ist, wie 540 a s. o.); was voraussetzt, daß sie sowohl erkennend als erkannt ist, daß sie zunächst sich selbst erkennt, daß sie aber, weil das Licht auch zwischen der Sonne und dem Uebrigen vermittelt (508 b: *αἴτιος ὢν (τῆς ὄψεως) ὁρᾶται ὑπ' αὐτῆς*), auch alles Uebrige erkennen und von dem Uebrigen, soferne und soweit es Erkenntnißkraft besitzt, erkannt werden kann (517 c: *ἔν τε νοητῷ αὐτὴ κυρία ἀλήθειαν καὶ νοῦν παρασχομένη*). Daher ist das Erkennende durch sein Erkennen, das Erkannte durch sein Erkanntseyn ihr ähnlich: Verhältniß der Urbildlichkeit (s. im Text 2). Die Verleihung des Lichtes durch die Sonne involvirt ferner

(dritte Relation) eine Art und Weise der Verleihung; sie ist Ausstrahlung (508 b: *ἐκ τούτου ταμιευομένην ὥσπερ ἐπίρρυτον κέκτηται*). Wie aber kann die Möglichkeit des Erkennens den Seelen, des Erkanntseyns den Ideen verliehen werden? Wie es keinen geistigen Stoff giebt, der zwischen beiden vermittelt, so auch keine geistige Ausstrahlung; es kann wieder nur eine Relation an deren Stelle treten, und welche? Wir wissen (II. 1.), daß das Erkennen einerseits, das Erkanntwerden andrerseits die Stellung der Seelen und Ideen in der Welt nach dem ersten der beiden Grundgesichtspuncte bestimmt, daß namentlich die Kraft, erkannt zu werden, so sehr zum Wesen der Ideen gehört, daß sie gar nicht wären, wenn sie nicht völlig erkannt werden könnten (daher auch 508 d: *ἀλήθεια καὶ τὸ ὄν*, VII, 525 c: *ἀλήθεια καὶ οὐσία*). Die Verleihung eines Verhältnisses, welches Bedingung wesentlicher Attribute ist, ist nur denkbar, wenn Seyn und Wesen überhaupt beiden Gliedern verliehen wird. Wie demnach die Sonne nicht bloß das Licht, sondern alles Körperliche, dem sie es verleiht, erzeugt, so erzeugt auch die Idee d. G. Seelen und Ideen: Verhältniß der Causalität (s. im Text 3).

kannten verleiht, ist die Idee des Guten, welche dadurch Ursache der Erkenntniß und der Wahrheit als erkannten *) ist.

2) (509 a) Wie Sehkraft und Licht der Sonne ähnlich, aber nicht sie selbst sind, so ist Erkenntniß und Wahrheit der Idee d. G. ähnlich **), aber deren Beschaffenheit eine weit höhere.

3) (509 b) Wie die Sonne dem Gesehenen nicht bloß Sichtbarkeit, sondern auch Entstehung, Wachsthum und Nahrung verleiht, so hat das Erkannte von der Idee d. G. nicht bloß Erkennbarkeit, sondern auch Seyn und Wesen ***), sie selbst

---

*) ἐπιστήμη, γνῶσις ist die wirkliche Erkenntniß von Seite der Seele, das Erkennen, ἀλήθεια ὡς γιγνωσκομένη dieselbe von Seite der Ideen, das Erkanntseyn (vgl. Parm. 134 a). Dem entsprechen auf sinnlicher Seite (s. 2) ὄψις und φῶς, indem sie für die Bedingungen des Sehactes überhaupt (s. oben) stehen, mit denen dieser gegeben ist (zur ὄψις gehört nothwendig ὄμμα, 508 a).

**) Durch ihre Prädicate sind natürlich Seelen und Ideen selbst der Idee d. G. ähnlich, wie durch seine Schönheit das Ding der Idee des Schönen ähnlich ist (Phaedo 100 d). Bei den Seelen ist jedoch diese Aehnlichkeit durch die Ideen vermittelt; denn wie die Seele überhaupt zunächst Abbild der Ideen ist (II. 1.), so ist sie auch als erkennende zunächst Abbild der Idee der Erkenntniß.

***) Wir wissen (II. 1.), daß die göttlichen Gestirne (ἐν οὐρανῷ θεῶν, 508 a) im strengsten Sinne wirkende Ursachen sind; dieser Analogie gemäß wird der Idee d. G. Causalität und zwar in Bezug auf die Ideen zugeschrieben. Da aber diese nicht geworden, sondern ewig sind, wird das γένεσιν παρέχειν für sie zum οὐσίαν προσεῖναι.

Warum wird, wie sich doch vorhin erschließen ließ, die Idee d. G. nicht auch als wirkende Ursache der Seelen bezeichnet? Der Grund liegt wohl darin, daß die Analogie hier nicht mehr durchzuführen war, wie sie denn in der That hier schließt. Denn nach Plato ist Subject auch der sinnlichen Wahrnehmung die Seele (s. die Theorie derselben im Tim., Theaet. etc.; es geht auch schon aus der Eintheilung des Seyenden nach der Erkenntniß hervor, wo sie als das Erkennende den beiden Arten der Objecte gegenübersteht, ferner daraus, daß kein Körper wirkt, die sinnliche aber sowohl als die geistige Erkenntniß ein Wirken ist (II. 1.)), sey es ihrem vernünftigen oder ihren niederen Theilen nach, nicht der Körper. Die Sonne und die Gestirne überhaupt sind aber wirkende Ursachen nur für das Körperliche; sie bringen wohl das Organ z. B. Auge, aber nicht das wahrnehmende Subject hervor. Indem sonach hier zwei homologe Glieder der Analogie identisch werden, wird diese selbst aufgehoben.

aber ist nicht Wesen (im gewöhnl. Sinne), sondern steht an Würde und Kraft ihrer Wesenheit noch über dem Erkannten*).

Zweite Analogie.

(509 c f.) Noch nicht genug! Die Gesammtheit dessen, was wir erkennen, theilen wir in zwei Theile: Sinnliches und Geistiges, und das erstere wiederum in die Bilder der sinnlichen Gegenstände (im Wasser oder durch Schatten) und diese selbst, das letztere in die mathematischen Objecte und die Ideen**). Dies giebt folgende zweite Analogie***) (7. B.). Wir fingiren, daß

---

*) τὸ εἶναί τε καὶ τὴν οὐσίαν ὑπ' ἐκείνου αὐτοῖς προσεῖναι, οὐκ οὐσίας ὄντος τοῦ ἀγαθοῦ, ἀλλ' ἔτι ἐπέκεινα τῆς οὐσίας πρεσβείᾳ καὶ δυνάμει ὑπερέχοντος. Soll εἶναι und οὐσία im ersten Satz nicht eine Tautologie seyn, so muß εἶναι die Existenz, οὐσία das Wesen bedeuten (was allerdings, so viel ich weiß, nur hier geschieden wird); diese Bedeutung aber, nach welcher der Name οὐσία im prägnanten Sinne den Ideen allein zukommt (ὄντως ὄν Tim. 52 c; ἀληθῶς ὄν Phil. 15 b, ὄντως οὐσία Soph. 248 a; ἀληθινὴ οὐσία 246 b; οὐσία schlechtweg 232 c, 245 d, 248 c, e; Phaedo 78 c, Parm. 135 a, Tim. 29 c etc.), wird für die Idee d. G. modificirt: sie ist nicht mehr οὐσία im eigentlichen Sinne, da sie über die Ideen in ihrer Wesenheit (οὐσία = ἕξις τοῦ ἀγαθοῦ 509 a) erhaben ist; umgekehrt wie die Dinge noch nicht im eigentl. Sinne οὐσίαι sind (Tim. 28 a: ὄντως οὐδέποτε ὄν).

**) Diese Unterabtheilungen haben wir als minder wichtig bei der Eintheilung der Welt nach der Erkenntniß nicht erwähnt; die sinnlichen Bilder werden auch meist zum Sinnlichen überhaupt gerechnet, bei den μαθηματικά dagegen ist allerdings fraglich, ob sie nicht einen von allem Uebrigen real getrennten Theil der Welt bilden. Plato nimmt schon im Phil. zweierlei Zahlen- und Maßlehren (56 d — 57 d), in der Rep. zweierlei Zahlen (VII, 525 d), Figuren (VI, 510 d), ja auch Bewegungen und Geschwindigkeiten (VII, 529 d) an, sinnliche, welche nur als Bilder und Anhaltspuncte dienen (VI, 510 e), und die eigentlichen (αὐτῶν τῶν ἀριθμῶν VII, 525 d), welche durch ihre Unvergänglichkeit (und Gleichartigkeit VII, 526 a, vgl. Phil. 56 d, e) Gegenstand der Wissenschaft sind (VII, 527 b: τοῦ γὰρ ἀεὶ ὄντος ἡ γεωμετρικὴ γνῶσίς ἐστιν). Diese könnten zwar dann noch Gedanken des Geistes seyn; gleichwohl aber sieht man, wie nahe es lag, da dieselben Gründe wie bei den Ideen vorlagen, sie gleich diesen von der übrigen Welt zu trennen. Vgl über die Spuren der späteren Zahlenlehre Plato's in seinen Schriften Ueberweg, Unters. 204 f.

***) In Proportion:

μαθηματικά und Ideen: Idee des Guten = Bilder und wirkliche Dinge: Sonne (vgl. VII, 517 b; die Ausführung nimmt fast das ganze 7.

Menschen ihr bisheriges Leben in einer Höhle zugebracht und darin nur die von einem künstlichen Feuer erzeugten Schatten von Gegenständen erblickt hätten. Zum Tageslicht emporgeführt, würden sie erst allmälig das Auge daran gewöhnen, indem sie zuerst die Schatten und Bilder im Wasser, dann die wirklichen Dinge (532 a) und die Gestirne, endlich die Sonne in ihrem eigenen Glanze schauen lernten. So müssen wir denn in der That aus dieser sinnlichen Welt zur Erkenntniß der Idee des Guten uns erheben*) und zwar zuerst zur Kenntniß des Mathematischen (durch die Arithmetik, Geometrie, Stereometrie, Astronomie, Theorie der Harmonie), sodann der Ideen (durch die Dialektik), endlich, aus allem Uebrigen die Idee des Guten dialektisch herausschälend (534 b, ob. angef.), zur Anschauung dieser selbst**).

Eine kurze Zusammenfassung seiner Meinung giebt Plato

Buch. ein). Die erste Analogie gab die Theorie, diese den Weg und die Stufen der Erkenntniß. Gemeinsam ist die Vergleichung der Idee des Guten mit der Sonne, da beide in ihrer Sphäre (die erstere auch schlechthin) sowohl Ursache als Ziel der Erkenntniß sind.

*) Ein anderer, ebenfalls mehrfach abgestufter Weg ist zur Anschauung des Schönen angegeben Symp. 210 f. (Schönheit des einzelnen, dann aller Körper, dann der Seelen, dann der Wissenschaften, endlich die Idee des Schönen).

**) 518 c, 519 d, 532 b, c etc. (*θεὰ τοῦ ἀγαθοῦ*). Hierzu wird aber kein eigenes Vermögen erfordert, wie es die Neuplatoniker annahmen (*ἔκστασις, ἅπλωσις*), sondern, wie Plato ausdrücklich sagt (518 d: *οὐ τοῦ ἐμποιῆσαι αὐτῷ τὸ ὁρᾷν, ἀλλ' ὡς ἔχοντι μὲν αὐτό, οὐκ ὀρθῶς δὲ τετραμμένῳ*) nur Hinwendung des für die geistige Erkenntniß (*νόησις*) überhaupt vorhandenen (*νοῦς*). — Man könnte fragen, welches das eigentliche Ziel der Erhebung sey: die dialektische Erörterung der Idee d. G., d. h. ihre Betrachtung im Verhältnisse zu allen übrigen Ideen, mit denen sie im Einzelnen verbunden ist (da sie als deren Urbild, wie wir sogleich sehen werden, mit ihnen zugleich in diesem abgebildet ist), oder ihre Anschauung für sich; also so z. sg. die Betrachtung ihres Umfanges oder ihres Inhaltes. Plato würde wohl antworten: beides, und keins ohne das andere; wie wir um rechte Grammatiker zu seyn, sowohl die Beschaffenheit des Lautes kennen müssen, als alle Formen, in denen er ausgesprochen wird (Phil. 17 b: *οὐδὲν ἑτέρῳ γε τούτων ἐσμέν πω σοφοί, οὐδ' ὅτι τὸ ἄπειρον αὐτῆς [τῆς φώνης] ἴσμεν οὐδ' ὅτι τὸ ἕν· ἀλλ' ὅτι πόσα τέ ἐστι καὶ ὁποῖα, τοῦτ' ἔστι τὸ γραμματικὸν ἕκαστον ποιοῦν ἡμῶν*).

am Schlusse der Vergleichung folgendermaßen (VII, 517 b, c): τὰ δ' οὖν ἐμοὶ φαινόμενα οὕτω φαίνεται, ἐν τῷ γνωστῷ τελευταία ἡ τοῦ ἀγαθοῦ ἰδέα καὶ μόγις ὁρᾶσθαι, ὀφθεῖσα δὲ συλλογιστέα εἶναι ὡς ἄρα πᾶσι πάντων αὕτη ὀρθῶν τε καὶ καλῶν αἰτία, ἔν τε ὁρατῷ φῶς καὶ τὸν τούτου κύριον τεκοῦσα, ἔν τε νοητῷ αὐτὴ κυρία ἀλήθειαν καὶ νοῦν παρασχομένη, καὶ ὅτι δεῖ ταύτην ἰδεῖν τὸν μέλλοντα ἐμφρόνως πράξειν ἢ ἰδίᾳ ἢ δημοσίᾳ.

Wir entnehmen nun dem Dargelegten zunächst Folgendes (indem wir Anderes späterer Ueberlegung vorbehalten):

1) Die Idee des Guten steht über allen Ideen. Denn
   a) Sie steht über der Schönheit und Gerechtigkeit: 504 d (μεῖζον δικαιοσύνης), 505 d (δίκαια μὲν καὶ καλὰ κ. τ. λ.). Diese aber stehen sowohl als Ideen als in ihren Abbildern unter den anderen am höchsten (s. o.).
   b) Sie ist das Höchste der Erkenntniß: 503 e, 504 d, 505 a, 517 b, 534 b, 540 a (μέγιστον μάθημα, τέλος, τελευταία ἐν τῷ γνωστῷ) u. S. 64. Die Ideen sind aber die eigentlichen Gegenstände der Erkenntniß.
2) Sie ist Urbild der Ideen und darum mittelbar auch des Einzelnen. Denn
   a) Ideen und Seelen sind durch die Erkenntniß ihre Abbilder (S. 61 Anm.).
   b) Die Idee des Guten steht über den Ideen, wie diese über den Dingen; denn sie ist nicht mehr οὐσία*), wie die Dinge noch nicht οὐσίαι sind (S. 63 Anm. 1). Daß sie nicht wie eine Idee (z. B. der Schönheit) über den anderen steht, zeigt schon die specifische Eigenthümlichkeit des einzelnen Guten, welches die Eigenthümlichkeit der Idee spiegelt (Vorbem. 3).
   c) Das Verhältniß der Urbildlichkeit ist der Grund, weßhalb die Idee der Gerechtigkeit auf diesem zweiten Wege am genauesten erkannt wird; wie das Einzelne, so wer-

*) Wir werden nachher noch einen besonderen Grund hierfür finden.

den auch die Ideen in und aus ihrer Idee am genauesten erkannt. Daher soll auch das einzelne Gerechte und Schöne vom Herrscher erkannt werden, wieferne es gut ist (Vorb. 2). Warum nicht, wieferne es an seiner Idee, der der Gerechtigkeit, theilhat? Weil es eben durch sie mittelbar an der Idee des Guten theilhat.

d) Wie jede Idee in ihrer Sphäre Ursache aller Vollkommenheit ist, so ist die Idee des Guten überhaupt Ursache alles Vollkommenen und Schönen in Allem (517 c, s. o.), also auch in den Ideen.

e) Dasselbe bezeugt endlich in klarster Weise Aristoteles; er sagt, das ἕν (worunter er die Idee des Guten versteht*)) sey Ursache des Wesens und der Vollkommenheit der Ideen, indem diese an ihm theilhätten; die Principien der Ideen seyen die alles Seyenden**).

3) Sie ist höchstes Urbild für das Handeln. Denn sie ist Urbild für den Philosophen, der nach ihr das eigene Leben und den Staat ordnen soll, sein Leben und Streben aber ist das höchste. 517 c (s. o.), 519 c, 540 a (ἰδόντας τὸ ἀγαθὸν αὐτό, παραδείγματι χρωμένους ἐκείνῳ, καὶ πόλιν καὶ ἰδιώτας καὶ ἑαυτοὺς κοσμεῖν).

So finden wir also auch hier von Plato gegeben, was die Consequenz der Lehre uns zu fordern schien. Und wie beim Timaeus (II. 1.), so dienen uns auch hier andere Dialoge zur Bestätigung und Ergänzung. Doch gilt dies in nennenswerther Weise hier nur von Einem, dem Philebus. Ueber den Zweck dieses vielleicht schwierigsten der platonischen Dialoge

---

*) Trendelenburg, Platonis de ideis et numeris doctrina ex Aristotele illustrata, 90. Ueberweg, Rh. Mus., N. F., IX, 68. Susemihl II, 515.

**) Met. I, 6 p. 988, a, 10: τὰ γὰρ εἴδη τοῦ τί ἐστιν αἴτια τοῖς ἄλλοις, τοῖς δ' εἴδεσι τὸ ἕν ... ἔτι δὲ τὴν τοῦ εὖ καὶ τοῦ κακῶς αἰτίαν τοῖς στοιχείοις ἀπέδωκεν ἑκατέροις ἑκατέραν. Ibid. p. 987, b, 18: ἐπεὶ δ' αἴτια τὰ εἴδη τοῖς ἄλλοις, τἀκείνων στοιχεῖα πάντων ᾠήθη τῶν ὄντων εἶναι στοιχεῖα. ὡς μὲν οὖν ὕλην τὸ μέγα καὶ τὸ μικρὸν εἶναι ἀρχάς, ὡς δ' οὐσίαν τὸ ἕν· ἐξ ἐκείνων γὰρ κατὰ μέθεξιν τοῦ ἑνὸς τὰ εἴδη εἶναι τοὺς ἀριθμούς.

scheint die richtige Ansicht die Susemihl's (II, 58), daß das ethisch Gute durch das metaphysisch Gute bestimmt, dieses selbst aber dabei näher entwickelt werde. Wie Crat. 439 c f. die Ideen zuerst als Traum in ihrer über dem Wechsel des Einzelnen erhabenen Stellung erschaut werden, so steigt Phil. 20 b f. in derselben Form über Lust und Einsicht das wahrhaft Gute empor (vgl. ob. Vorbem. 2). Wie aber zwischen der Idee und ihrem Abbild oft nicht unterschieden wird (vgl. II. 1. beim Phil.), so wird wohl auch hier von dem höchsten menschlichen Gute d. i. der Aehnlichkeit mit der Idee des Guten und von dieser selbst zugleich gesprochen. Dagegen tritt die Trennung beider scharf am Ende des Phil. (60 a f.) hervor. Nach einer kurzen Wiederholung des Früheren wird 1) die beste Lebensart (das höchste Gut) zusammengesetzt aus ihren Elementen, reiner Lust und zweierlei Arten der Einsicht, wodurch ein Weg zum Guten (der Idee) gefunden ist (61 a — 64 c); es werden 2) die Ideen genannt, welche der Mischung ihren Werth verleihen: Schönheit, Ebenmaß, Wahrheit, unter ihnen ist das Gute schon besser zu verstehen, wir sind an seine Schwelle gelangt (— 65 a); es wird 3) die Entscheidung über den Werth der Lust und Einsicht hiernach gegeben (—66 a); und 4) die sog. Gütertafel aufgestellt, die Analyse des vorhin zusammengesetzten höchsten Gutes, welche aber nicht bloß die Elemente angiebt, aus denen es zusammengesetzt wurde (3, 4, 5 der Tafel), sondern auch die idealen Bedingnisse der Mischung (s. 2) (2 der Tafel); und auch diesen wiederum die Idee hinzufügt, welche ihnen selbst ihren Werth verleiht, das höchste Maß alles Guten, die Idee des Guten (1 der Tafel). So giebt der Philebus die Bestätigung für die Stellung derselben gegenüber den übrigen und bezüglich des menschlichen Strebens, sowie eine Ergänzung bezüglich ihrer Erkenntniß, die sich jedoch aus dem Früheren von selbst ergiebt: daß sie zunächst unter den Ideen der Schönheit, des Maßes, der Wahrheit erkannt werde, denn diese sind ihr ja am ähnlichsten. Wollen wir nun die Idee des Guten noch in anderen Dialogen suchen, so finden wir sie angedeutet im Politicus als das absolute Maß*), der **Phaedo** kennt ein Ziel der Wissenschaft**) sowie ein gemeinsames Gut der Welt***). Dagegen handelt von ihr weder ahnungs- noch andeutungsweise das **Symposion** sondern lediglich von der Idee des Schönen (welche, wie wir gesehen, zwar die nächste Idee unter der Idee des Guten, aber nicht sie selbst ist†)) und von dem Guten in der Welt††); eben so wenig der **Phaedrus** (Michelis II, 12, 22), der **Timaeus** und die **Leges**, wo sie nur, wenn sie mit dem Gotte identisch gefaßt wird, aber nicht als Idee des Guten gefunden wird†††).

Mag jedoch immerhin das Auge der genetischen Forschung von dem, was in der **Rep.** dargelegt ist, mehr Spuren in früheren Dialogen entdecken, das wenigstens sehen wir, daß Plato nicht mit Unrecht in der **Rep.** selbst sagt, er habe, was ihm über die Idee des Guten scheint, hier zusammengefaßt, und daß wir uns also keinesfalls versprechen dürfen, etwas Neues außer dem Dargelegten über sie aus den platonischen Schriften zu erfahren. Es entsteht nun die Frage: warum führt uns Plato im **Phil.** nur auf den Weg und bis zur Schwelle, warum giebt er in der **Rep.** nur den Sprößling, nicht ihr eigenes We-

---

*) 284 d: *ὥς ποτε δεήσει τοῦ νῦν λεχθέντος πρὸς τὴν περὶ αὐτὸ τἀκριβὲς ἀπόδειξιν.*

**) 101 d: *ἐπειδὴ δὲ ἐκείνης (τῆς ὑποθέσεως) αὐτῆς δέοι σε διδόναι λόγον, ὡσαύτως ἂν διδοίης, ἄλλην αὖ ὑπόθεσιν ὑποθέμενος, ἥτις τῶν ἄνωθεν βελτίστη φαίνοιτο, ἕως ἐπί τι ἱκανὸν ἔλθοις.* Vgl. Rep. VI, 511 b.

***) 98 b: *κοινὸν πᾶσιν ἀγαθόν.*

†) Wie es Susemihl I, 400 und Michelis II, 42 auffassen (Symp. 211 a f.)

††) 201 c sagt, daß das Gute auch schön sey. 204 d f. (von Michelis citt.) sagt: die Liebe ist der Wunsch, das Gute stets zu besitzen (206 a, 207 a); da aber nur durch Zeugung das Sterbliche unsterblich wird (206 e, 208 b) und diese nur im Schönen geschieht (206 c), so ist die Liebe auf die Erzeugung des Guten im Schönen gerichtet (206 e).

†††) Tim. 46 c: *τὴν τοῦ ἀρίστου κατὰ τὸ δύναμιν ἰδέαν ἀποτελῶν* kann nicht auf die Idee des Guten bezogen werden, da keine Idee im Einzelnen erst verwirklicht wird; auch giebt es von einem Superlativ keine Idee, da sie selbst der Superlativ des Einzelnen ist, und daß *ἰδέα* nicht immer Idee bedeutet, ist bekannt. *ἡ τοῦ ἀρίστου ἰδέα* ist hier vielmehr einerlei mit dem *ἑκάστῳ ἄριστον, βέλτιστον,* welches auch nach Phaedo der *νοῦς* in Allem verwirklicht, mit dem Zweck des Einzelnen (Phaedo 97 c f.).

sen, dessen Kenntniß er doch selbst so weit als möglich verlangt? woher die ganz besondere Schwierigkeit, die er findet und die sogar eine andere Methode verlangt (S. 59)? wäre es nicht einfach gewesen, zu sagen: sie ist das ἕν, das παράδειγμα der Ideen?

Allerdings, es wäre nur zu einfach gewesen. Denn damit ist von ihr selbst, ihrem Wesen und Inhalte, eigentlich Nichts gesagt, und doch soll sie das absolut Gute, der Inbegriff der Vollkommenheit seyn. Um hierüber klar zu werden, sehen wir zuerst nach, was überhaupt dem Wesen der Ideenlehre gemäß von ihr ausgesagt werden konnte; wenn wir dann damit vergleichen, was von ihr ausgesagt wird, so wird sich ergeben, mit welchem Rechte, aus welchem Grunde und in welcher Weise es von ihr ausgesagt wird. Wir meinen aber hier nicht die dialektische Prädicirung einer Idee von einer anderen; diese findet mit demselben Rechte auch bei der Idee des Guten statt z. B. das Schöne, Gerechte, Wahre rc. ist nothwendig auch gut; ja es ist hier, anders als bei den übrigen Ideen, auch der Grund ihrer Verbindung mit den Ideen im Einzelnen anzugeben: alle Ideen haben an ihr Theil, so daß was an den Ideen, auch an ihr Theil hat. Dagegen ist umgekehrt die obige Frage auch bezüglich der Ideen noch offen, denn sie betrifft diejenigen Prädicate, womit ihr Wesen im Allgemeinen bezeichnet wird. Erwägen wir sie darum zuvörderst in Beziehung auf die Ideen. Außer den Reichen des Geistes und der Natur*), denen wir unsere realen Prädicate entnehmen, statuirte sie Plato als ein drittes. Er durfte also, um sie zu charakterisiren, keines der Prädicate gebrauchen, die wir jenen beiden zuzuschreiben pflegen, nicht Gestalt, Farbe, Räumlichkeit, Zeitlichkeit, Erkenntniß, Willen rc. Dann blieb aber Nichts, als Negationen, höchstens Relationen; und diese bilden in der That den größten Theil der Attribute, mit denen er uns die Ideen schildert; sie

*) Mag man nun diese Unterscheidung als eine substanzielle oder anderweitige fassen; jedenfalls darf ich sie voraussetzen, wie sie denn auch von Plato anerkannt wird.

sind gestaltlos, farblos, unräumlich u. s. w., sie sind auch nicht Urtheil noch Wissenschaft, sie sind das Eins und das Urbild der Vielheit. Ganz dasselbe gilt nun für die Idee des Guten: sie ist natürlich gleichfalls farblos ꝛc., sie ist nicht Lust noch Einsicht, sie ist das ἕν, das παράδειγμα auch für die Ideen. Suchen wir also nach einem Grundsatz für die allgemeinen Prädicate der Ideen und der Idee des Guten, so scheint es kein anderer seyn zu können, als daß von ihnen überhaupt Nichts (wenigstens kein Inhalt) ausgesagt werden könne. Dann dürfte aber beinahe auch von uns gelten, was Aristoteles oft erzählt haben soll*), daß nämlich Plato's Zuhörer zu seiner Vorlesung über das Gute in der Hoffnung herbeigekommen seyen, etwas von dem zu hören, was man menschliche Güter nennt, aber nachdem die Erörterung über Wissenschaften und Zahlen erschienen sey, und am Ende, daß das Gute Eins sey, da habe es ihnen wohl ganz sonderbar (παντελῶς οἶμαι παράδοξον) geschienen; während Themistius in oratorischer Manier gar berichtet (or. XXI, 245 c Hard.), die Leute seyen dazu von den Feldern, aus den Weinbergen und Silberminen herbeigelaufen, hätten sich aber alsbald wieder entfernt und nur die gewöhnlichen Genossen des Philosophen seyen geblieben. — Wenn die späteren Neuplatoniker mit ihrem unsäglichen, eigenschaftslosen ἕν, ἀγαθόν in solche Lage gekommen wären — das wäre nicht sehr zu verwundern; denn je ängstlicher sie diese an und für sich nichtssagenden Begriffe isolirten und je kühner sie sich von aller Analogie mit der in der Erfahrung gegebenen Welt befreiten, desto unbeschreiblicher mußten sie ihnen werden. Gälte dies ebenso für Plato, so wäre freilich nicht bloß nich die Dialektik, sondern gar kein Weg zur Erörterung des Guten gegeben, und nicht eine große Schwierigkeit, sondern eine einfache Unmöglichkeit läge vor, es wäre das Obige und noch etwas mehr erklärt. Allein von einer solchen Unmöglichkeit, irgend etwas von der Idee des Guten zu prädiciren, hören wir nichts

*) Aristoxen. elem. rythm. II, 30 Meib.

bei ihm. Allerdings wissen wir, daß er das Gute in der spätesten Form seiner Lehre, wie er sie in mündlichen Vorträgen gegeben haben soll und worin die Zahlensymbolik eine hervorragende Bedeutung hatte, vorzugsweise als das Eins bezeichnete (wir werden in dem geschichtlichen Ueberblick am Schlusse darüber sprechen); aber erstlich fehlt uns von dieser spätesten Lehre allzusehr ein klarer Begriff, als um ein Urtheil fällen, geschweige denn einen Schluß auf die früheren machen zu können, zweitens geht uns, wie wir in der Einleitung bemerkten, hier überhaupt nur die Lehre an, welche in der letzten den platonischen Schriften niedergelegt ist. Diese allein sind uns also maßgebende Zeugen, sonst aber weder Landleute noch Neuplatoniker. Die letzteren haben wir vielmehr bereits auf einer Abweichung darin ertappt, daß sie ein eigenes Vermögen zur Anschauung der Idee des Guten behaupteten (S. 64), eine intellectuale Anschauung des Absoluten; und da dies offenbar nur die Folge jener Entfernung von allen Hilfsmitteln der natürlichen Erkenntniß ist, läßt sich umgekehrt schließen, daß Plato auch hierin ihnen nicht vorangegangen sey. Und wenden wir uns nun zu den platonischen Schriften, so bestätigen sie in der That diesen Schluß.

Wir finden zunächst den Ideen geistige Bewegung, Leben, Denken, Seele zugeschrieben (Soph. 248 e) — Prädicate, welche offenbar der Welt des Geistes entnommen sind, wenn sie auch für die Ideen in etwas veränderten Sinne gelten (II. 1.). Aber woher das Recht, die Ideen so zu bestimmen? Ist es nicht ein Widerspruch mit ihrem Wesen? Man kann dies nicht wohl behaupten, da sie eigentlich noch gar kein Wesen haben. Es ist nur eine Bereicherung ihres ursprünglich bloß negativen Begriffes, die weiter durchgeführt allerdings keinen specifischen Unterschied mehr zwischen ihnen und den übrigen Wesen (der ja ohnedies nur scheinbar vorhanden war) gelassen und sie zu höheren Geistern gemacht hätte. Mag man nun von unserem Standpuncte aus hierin einen wesentlichen Fortschritt oder eine Deterioration der Ideenlehre oder beides finden (ersteres, insofern sie einmal angenommen waren, letzteres als Durchbildung eines Irrthums), Plato selbst war nach seinen Worten zu schließen der ersteren Ansicht, denn er giebt die Vollkommenheit der Ideen als Grund zu jenen Prädicaten an*). Fragen wir zweitens nach der Art und Weise, wie sie metaphysisch zu denken sind, so scheint die Antwort zwar sehr naheliegend, wir wollen aber, um etwaige andere Möglichkeiten nicht zu übersehen, erst sehen, wie er es nicht gemeint haben kann, um dann um so sicherer zu seyn, wie er es gemeint hat (da er doch bei jener Prädicirung irgend eine Meinung über ihre reale Bedeutung gehabt haben muß). Sind vielleicht die Ideen alle mit der Idee des Lebens, Denkens, der Bewegung und Seele durch die „Gemeinschaft der Gattungen" verbunden? Diese Verbindung findet nur im Einzelnen statt, es würde also Alles, was an irgend einer Idee theilhat, nothwendig auch an der des Lebens, der Bewegung ꝛc. theilhaben, was offenbar falsch ist**). Oder haben sie an diesen Ideen Theil als an Urbildern,

---

*) *Τί δὲ πρὸς Διός; ὡς ἀληθῶς κίνησιν καὶ ζωὴν καὶ ψυχὴν καὶ φρόνησιν ἦ ῥᾳδίως πεισθησόμεθα τῷ παντελῶς ὄντι μὴ παρεῖναι;* Der Streit, den Bonitz (pl. St. II) über Fortschritt oder Rückschritt der Ideenlehre im Soph. mit Steinhart, Susemihl, Michelis führt, ist mir darum nicht recht begreiflich.

**) Aehnliches gilt auch für die Ansicht, welche unter der „Gemeinschaft der Gattungen" eine Gemeinschaft der Ideen an und für sich versteht, und die, indem sie zu ganz unhaltbaren und sonderbaren Auffassungen der Ideenbewegung führt, ihre eigene Unhaltbarkeit zeigt. Nach Susemihl (I, 301) heißt jene Prädicirung in der Sprache der ausgebildeten Ideenlehre „von der Idee des Seyns sind die Ideen der Erkenntniß, des Lebens und der Bewegung, der Vernunft und der Seele unzertrennlich." Aber das *παντελῶς ὄν* ist ja die gesammte Ideenwelt (vgl. S. 63), nicht die einzelne Idee des Seyns; auch folgt die Untersuchung über Ideengemeinschaft erst nachher, Plato hat hier noch nicht die dialektische Prädicirung im Auge; und durch diese wird nur umgekehrt das Seyn von der Bewegung ausgesagt. In der That müßte man sonst Alles der Idee des Seyns zuschreiben, weil sie Allem verbunden ist. (Bei Susemihl findet sich später, 357, vielleicht aus dem letzteren Grunde, die Beziehung der Bewegung auf die gesammte Ideenwelt, freilich wieder in unrichtiger Weise, als „lebendigen Processes" der Ideen auseinander. Nichts widerspricht ihnen mehr.) Auch Bonitz hat sich durch jene Ansicht von der *κοινωνία* zu dieser Auslegung verleiten lassen (pl. St.

wie das Einzelne, z. B. die Seelen, daran Theil hat? Allein ein solches Verhältniß findet unter den Ideen, wie wir gesehen, nur in Bezug auf die Idee des Guten statt, die darum in besonderem Sinne Idee genannt wird. Auch müßten jene Ideen der Bewegung rc. da dies von ihnen nicht gilt, eben als Ideen wieder an einer Idee der Bewegung rc. theilhaben, und so in's Unendliche. Ueberhaupt kann eine jede Idee, da sie ganz einfach ist, weder die Bilder mehrerer Ideen noch sie selbst in sich aufnehmen. Wenn also den Ideen im Allgemeinen mehrere Prädicate zukommen, so kann dies eben so wenig wie die Verbindung einer Idee mit einer anderen eine Zusammensetzung ihres Wesens bedeuten; die mehreren Prädicate können also nur dienen, zusammen ihr einheitliches Wesen zu beschreiben. Daß dies Plato's Meinung ist, zeigt sich wieder an seinen Worten: es ist das vollkommene Seyn der Ideen überhaupt, welches er damit bezeichnen will. Und daraus ergiebt sich auch leicht, wie jene Prädicate in metaphysische Verhältnisse zu übersetzen sind: die Ideen haben Seyn und Vollkommenheit, mit-

---

II, 328): „Indem nun .. das Seyende selbst eine der realen Ideen ist, folglich jede andere Idee ist durch ihre Gemeinschaft mit der Idee des Seyenden, so ergiebt sich, daß unter einander entgegengesetzte Ideen: Ruhe, Bewegung, das Schöne, das Häßliche u. a. m., da jede derselben ist, gleich sehr Gemeinschaft haben mit der Idee des Seyenden, also, da in der Gemeinschaft Gegenseitigkeit liegt, andrerseits das Seyende, obgleich an sich weder in Ruhe noch in Bewegung, weder schön noch häßlich, doch eben so sehr in Ruhe als in Bewegung, schön als häßlich seyn kann. Nimmt man noch hinzu, daß diese Möglichkeit der Gemeinschaft einer jeden in dieselbe eintretenden Idee als eine reale Eigenschaft zugeschrieben wird, so ergiebt sich, daß die Ideen zu Kräften werden, und es begreift sich, daß sie in rascher Folge als lebendige Kräfte gesetzt werden.“ Hier ist der Gedankengang des Soph., den Bonitz sonst so meisterhaft dargelegt, geradezu auf den Kopf gestellt; die beiden Gründe Plato's für die Ideenbewegung lauten ja ganz anders (s. II. 1.), und die obigen Gründe hätten ihn auch schwerlich dazu führen können. Denn wenn in der Gemeinschaft Gegenseitigkeit liegt, so muß das Seyende wirklich zugleich bewegt und in Ruhe seyn, nicht bloß der Möglichkeit nach; und wie die Ideen erst in Gemeinschaft treten können, wenn sie ihnen an sich zukommt, ist nicht begreiflich, ebenso wenig, wie die Möglichkeit, schön, häßlich rc. zu seyn, zu einer lebendigen Kraft werden soll.

hin alle jene Prädicate durch Theilhaben an der Idee des Guten*).

Gehen wir nun zu dieser selbst über. Wir finden ihr — und das ist es, was wir vorhin nicht hervorhoben, um nun seine Bedeutung klarer zu erkennen — auch die Kraft der Wirkung und der Erkenntniß zugeschrieben (S. 61 A. u. 62 A. 3). Sie ist also nicht bloß in dem Sinne οὐκ οὐσία, daß sie über den Ideen steht, sondern auch in dem, daß sie eigentlich in das Reich des Geistes zurückgekehrt ist. Das Recht zu diesen Prädicaten ist dasselbe wie zu denen der Ideen. Aber auch der Grund ist zum Theil dem vorigen analog. Wie die Ideen die vollkommeneren Vorbilder des Einzelnen sind, so ist die Idee des Guten das Urbild auch für sie, und dazu mußte sie werden durch ihre besondere Bedeutung; denn während die anderen höchstens eine einzelne Vollkommenheit bezeichnen, ist sie das an sich Vollkommene. Da mußte denn Plato analog jenem Ausrufe des Soph. sich sagen: „Wie aber beim Zeus? Sollen wir uns wirklich so leicht überreden lassen, daß das Vollkommenste nicht Wirkungs- und Erkenntnißkraft besitze, sondern ewig unthätig und in sich gekehrt nur als παράδειγμα und Erkenntnißgegenstand zum Uebrigen sich verhalte?" Hierzu kommt jedoch noch ein zweiter Grund. Der Ideen sind viele, sie bilden erst zusammen eine Welt. Daher ist weniger eine einzelne für sich Gegenstand der Erörterung, als ihr Zusammenhang; die Dialektik läßt das Bedürfniß, den Inhalt jeder Idee kennen zu lernen, nicht aufkommen. Die Idee des Guten ist zwar auch Gegenstand der Dialektik, ja der höchste, aber da sie gleichsam eine Welt für sich bildet, tritt nun zugleich das Bedürfniß hervor, sie selbst für sich, ihr Wesen näher zu beschreiben, was aber nicht durch die Dialektik, sondern nur durch Zuerkennung von Prädicaten aus dem Bereiche des Vollkommensten, was die Erfahrung zeigt, geschehen kann.

---

*) Ich will nicht behaupten, daß Plato im Soph. diese Ansicht schon ausgebildet hatte, aber jedenfalls hat er den Ideen jene Prädicate zur Zeit der Rep. nicht wieder entzogen.

Von hier aus erklärt sich nun auch die Schwierigkeit, welche Plato findet, und die Darstellungsform der Stelle der Rep. Die Idee des Guten steht nämlich nicht bloß über allen Ideen, sondern sie kann auch nicht ein Geist wie die übrigen seyn, da sie diesen erst Erkenntnißkraft verleiht. Sie ist daher durch Prädicate aus dem Gebiete des Geistigen nicht in ihrem nächsten und gewöhnlichen, sondern nur in modificirtem Sinne zu bestimmen, und hierzu dienen am einfachsten die Analogien; z. B. ihr kommt Erkenntniß zu, aber nicht so wie den übrigen Seelen, sondern in vollkommenerer Weise, indem sie die Bedingungen derselben ursprünglich in sich trägt, kurz analog wie die Sonne das Licht (S. 61).

Es erübrigt, die Art und Weise auch für sie zu bestimmen, wie ihre Prädicate metaphysisch zu denken seyen, deren realen Grund zu suchen. Allein wir wissen noch nicht, ob sie ihr Wesen von sich selbst oder, wie die Ideen, wieder anderswoher hat, es ist also zuvörderst darüber zu untersuchen. Und so ist, indem wir die Möglichkeit neuer Bestimmungen von Seite Plato's einerseits, ihre Schwierigkeit andrerseits eingesehen, für unsere Untersuchung Aehnliches eingetreten. Denn auch für sie erheben sich schwierige Fragen, die sich nicht erhoben hätten, wäre die Idee des Guten nur das *παράδειγμα* der Ideen, als welches wir sie vor der Kenntniß der Stelle der Rep. erschlossen: wenn sie in ein anderes Reich übergetreten und auch hier nicht ganz heimisch ist, was ist denn endlich ihre Stellung in der Welt? Aber andrerseits ist durch die erwähnten Prädicate auch zugleich ein Anhaltspunct gegeben, der es ermöglicht, obgleich wir aus den platonischen Schriften uns, wie gesagt, nichts Neues mehr versprechen dürfen, doch auf einem anderen Wege, dem der Schlüsse, weitere Aufklärung zu finden. Bevor wir aber diese suchen, kehren wir von der Idee des Guten noch einmal zur Ideenwelt zurück, um erst die Erforschung ihrer constituirenden Principien zu beenden.

Die Verhältnisse der Ideen nach der Ordnung der Vollkommenheit sind die gleichen wie die der Dinge, die an einer Idee theilhaben, und die Idee des Guten ist Urbild der Ideen — dies war es, was wir gefunden hatten. Aus den Verhältnissen haben sich aber für die Dinge die Principien ergeben: also da ihnen in dieser Hinsicht die Ideen analog sind, müssen sie auch analoge Principien haben, und zwar zunächst ein Princip des Unterschiedes vom Urbilde, eine Materie. Diese kann, da die Ideen sich nicht mehr durch das Werden von jenem unterscheiden, sondern lediglich durch das Mehr oder Minder der Vollkommenheit (Aehnlichkeit mit demselben), nur mehr die Bedeutung des Mehr oder Weniger haben, schon dadurch ist sie Ursache der Vielheit der Ideen und des Unterschiedes unter sich und vom Urbilde. In dieser Bedeutung ist sie denn auch im Philebus gegeben, der die Behauptung allgemein ausspricht, „daß aus Einem und aus Vielem Alles, was immer man seyend nennt, besteht und Grenze und Unbegrenztheit in sich vereinigt"*), und „alles im All Seyende"**) in die vier uns bereits bekannten Gattungen theilt, deren erste, das *ἄπειρον*, durch das *μᾶλλον καὶ ἧττον* charakterisirt, wenn auch die Beispiele aus dem Sinnlichen genommen sind, doch alle der sinnlichen Materie analogen Principien unter sich begreift***). Ebenso bezeugt Aristoteles die Materie der Ideen als das *μέγα καὶ μικρόν* und die Ursache des *κακῶς*, der Unvollkommenheit (S. 66 Anm. 2 u. S. 77 A.). Diese Materie kann nicht identisch seyn mit der der Dinge aus dem schon angegebenen Grunde, daß sie nicht Princip des Werdens ist; auch nicht mit der der Seelen, da diese

*) 16 c: *ὡς ἐξ ἑνὸς μὲν καὶ ἐκ πολλῶν ὄντων τῶν ἀεὶ λεγομένων εἶναι, πέρας δὲ καὶ ἀπειρίαν ἐν αὑτοῖς ξύμφυτον ἐχόντων.*

**) 23 c: *πάντα τὰ νῦν ὄντα ἐν τῷ παντί.*

***) Vgl. Ueberweg, Unters. 204 f. Dagegen enthält das *θάτερον* des Soph. (das. 159) nur den selbst zur Idee gewordenen Grund, der zur Annahme einer Materie nöthigte, die Verschiedenheit. Bonitz, pl. St. II, 332: „das Verhältniß der Unterscheidung eines Begriffes vom anderen, allgemein als Begriff gesetzt, ist das *θάτερον* oder das *μὴ ὄν*." Beim Sinnlichen findet dies Verhältniß ebenfalls statt, Rep. VII, 524 b: *οὐκοῦν ἐὰν δύο φαίνηται, ἕτερόν τε καὶ ἓν ἑκάτερον φαίνεται*; (auch der Ausdruck *μέγα καὶ μικρόν* ist ib. c als Beispiel gebraucht) womit X, 476 a zu vgl.

zunächst Abbilder der Ideen sind, welche also schon durch ihre eigene Materie constituirt seyn müssen; überhaupt wäre ja zwischen den Ideen und dem Einzelnen gar kein Unterschied, wenn sie dieselbe Materie hätten*).

---

*) Zeller hat diese Frage ausführlich erörtert, ich muß aber bekennen, seine Ansicht nicht ganz zu verstehen. Er glaubt, daß Plato auch in Beziehung auf die Ideen vom Unbegrenzten oder vom Großen und Kleinen gesprochen hat (478), will nicht leugnen, daß hier eine Verwirrung im platonischen Sprachgebrauch herrsche (479), kann sich nicht überzeugen, daß Plato „das Unbegrenzte in demselben Sinne, in dem es die specifische Eigenthümlichkeit des sinnlichen Daseyns bezeichnet, auch in die Ideen verlegt, oder es gar die Materie der Ideen genannt habe" (wofür 477 die stärksten Gründe angeführt sind), beschuldigt aber Aristoteles einer Identificirung beider Materien. Zeller führt (483) an: 1) Phys. III, 4. 203, a, 9: *τὸ ἄπειρον καὶ ἐν τοῖς αἰσθητοῖς καὶ ἐν ἐκείναις εἶναι.* Hier gelten seine eigenen Worte, daß das Unbegrenzte nicht in demselben Sinne in beiden sey, d. h. die Materie der Ideen ist der sinnlichen analog; beide sind das Unbegrenzte, die eine das der Ideen, die andere das der Dinge. Dadurch fällt auch die vermeintliche Verwirrung im platonischen Sprachgebrauch. 2) Met. I, 6. 987, b, 18: *τἀκείνων στοιχεῖα πάντων ᾠήθη τῶν ὄντων εἶναι στοιχεῖα.* Zeller führt selbst die Erklärung des Aristoteles an, daß nur für die Ideen das *ἓν* unmittelbar Ursache sey (988, a, 10 f. S. 66 A. 2); dieselbe Erklärung gilt natürlich für das *μέγα καὶ μικρόν.* 3) Aristoteles nennt beide *ὕλη ὑποκειμένη*, *μέγα καὶ μικρόν*, und Met. XI, 2, 1060, b, 6 „wird sogar geradezu die *ὕλη* neben dem Eins als Element der Ideen genannt." Aber sie haben ja in der That beide diese Bedeutung; und daß Plato selbst die Ideenmaterie nicht *ὕλη* genannt, versteht sich, da er bekanntlich auch die sinnliche nicht so nannte. Nur darin unterscheiden sich beide, daß die sinnliche Materie auch Princip des Werdens und der specifischen Eigenschaften des Sinnlichen ist. Aber auch hierin soll sie Arist. vermengt haben; denn 4) „um uns jeden Zweifel über seine Meinung zu benehmen, hält er Phys. IV, 2. 209, b, 33 Plato die Frage entgegen, wie denn die Ideen unräumlich seyn können, wenn doch das Große und Kleine oder die Materie das *μεθεκτικόν*, dieses aber der Raum sey?" Plato wird hier aus seinen eigenen Sätzen überführt, daß der Raum (von dem das 4. B. handelt) nicht, wie er im Timaeus (52 a) behaupte, die Materie seyn könne. Er nenne sie so, weil sie alles (alle Bilder der Ideen) in sich aufnehme, als das *μεθεκτικόν*. Da er nun auch in den Ideen ein *μεθεκτικόν* annehme (welches das Bild des *ἓν* aufnimmt), so müßte aus demselben Grunde auch dies ein Raum und die Ideen in einem Raume (*ἐν τόπῳ*) seyn. Und doch werde dies von den Ideen geleugnet. Mithin könne der Raum nicht die Materie seyn. Was folgt hieraus für das Verhältniß beider Materien? In den Prämissen sind die zwei Sätze als platonisch anerkannt, daß die sinn-

Endlich wird auch eine wirkende Ursache für die Ideen nothwendig. Auch sie kann aber, wie die Materie nicht Ursache des Werdens ist, nicht Entstehen und Vergehen, sondern nur das Seyn der Ideen bewirken und die Wirkung muß wie die Ideen ewig seyn*). Eine solche Ursache haben wir schon in der Idee des Guten gefunden (S. 62). Aber können nicht mehrere Ursachen zu einem Erfolge zusammenwirken, oder auch wie bei den Dingen die nächsten Ursachen (Seelen) selbst durch eine entferntere hervorgebracht seyn? In der That giebt uns das zehnte Buch der Rep. auch einen Gott für die Ideenbildung an. Die Stelle (596 a — 598 a) mußte, weil sie sich falschen Auffassungen der Lehre nicht fügen wollte, oft das Loos des Timaeus theilen, für mythisch oder populär erklärt zu werden. Wer aber mit der begeisterten poetischen Sprache des platonischen

---

liche Materie der Raum, und daß die Ideen nicht räumlich seyen. Mußte da Aristot. nicht in Einem Athem sich sagen, daß die Ideenmaterie gerade nicht die sinnliche seyn könne? In der That haben dieselben Prämissen Zeller zu derselben Folgerung gedient (477): es würde sonst „namentlich dem auch von Aristoteles anerkannten Satze, daß die Ideen nicht im Raume sind, auf's Handgreiflichste widersprochen;" und Aristoteles sollte diesen handgreiflichen Widerspruch behauptet haben, da doch Plato an der Stelle des Tim., die Arist. ihm vorhält, unmittelbar hinzufügt, man dürfe sich nicht verleiten lassen, auch die Ideen in einem Raume (ἔν τινι τόπῳ, 52 b) zu denken? Und — was noch wunderbarer wäre — er sollte einen solchen handgreiflichen Widerspruch nicht als ein Hauptargument zur Widerlegung der Ideenlehre verwendet haben? Davon findet sich aber in der ganzen Metaphysik, die nicht zum kleinsten Theile mit dieser Widerlegung sich beschäftigt, Nichts. Vielmehr erkennt Arist. schon eine Verschiedenheit der Materie des Mathematischen von der der Ideen an, weil sich Beides sonst nicht unterscheiden würde (Met. XIV, 3, p. 1090, b, 36: *εἰ μὲν γὰρ ἐκ τοῦ μεγάλου καὶ μικροῦ (ὁ μαθηματικὸς ἀριθμός), ὁ αὐτὸς ἐκείνῳ ἔσται τῷ τῶν ἰδεῶν, ἐξ ἄλλου δέ τινος μικροῦ καὶ μεγάλου· τὰ γὰρ μεγέθη ποιεῖ*) und allerdings muß auch dies Plato's Meinung gewesen seyn, als er sich in spätester Zeit mit der Zahlentheorie beschäftigte; jedenfalls aber mußte für Arist. aus dem analogen Grunde die Verschiedenheit der sinnlichen und idealen Materie klar seyn.

*) Wie die Ewigkeit der Ideen ihrer Abhängigkeit widerspräche (Zeller 426, Ribbing I, 378), sehe ich nicht ein. Mit den Worten *γένεσιν οὐκ ἔχον* (Tim. 27 d) schließt Plato nur das Werden der Dinge d. h. Entstehen und Vergehen (*ἀγέννητον καὶ ἀνώλεθρον* ib. 52 a) von den Ideen aus.

Mythus ihren trockenen Styl vergleicht, der von Tischen, Betten, Handwerkern spricht, wird die Bezeichnung „mythisch“ hier sehr übel angewandt finden, besser die „populär“. Allein nun spricht sie doch auch von den Ideen, und dies thut Plato nie in populärer Darstellung; wohl verwebt er sie in mythische Schilderungen über das Leben und Treiben der Götter, allein davon ist eben hier keine Spur. Vielmehr, da er den ernsten Kampf*) gegen die Kunst, insbesondere die Dichter und den Homer hier wiederholt beginnt (vgl. 2. und 3. Buch), von dem er selbst erklärt (595 c f.), wie ungern er ihn sowohl wegen eigener Achtung als des Ansehens halber, das sie überall genössen, führe, durfte er nicht selbst mit poetischen Mythen oder populären Redensarten kommen. Darum geht er, wie bei der Idee des Guten (VI, 507 b), „nach der gewohnten Methode“ (596 a) von der Ideenlehre aus. Der Inhalt der Stelle ist folgender. Von allem, dem der gleiche Name zukommt, giebt es eine Idee, also auch z. B. eine Idee des Tisches und Bettes. Die Künstler nun (Maler, Dichter) bringen das Bild eines Einzelnen z. B. eines Bettes hervor, indem sie dieses als Vorbild gebrauchen; die Werkmeister bringen das Einzelne selbst z. B. ein Bett hervor, indem sie es der Idee des Bettes nachbilden; Gott aber bringt diese selbst und die alles Anderen hervor**). (Demnach ist die Thätigkeit des Künstlers auf das am weitesten von der Wahrheit Entfernte gerichtet).

Wir fanden es wohl möglich, daß zwei wirkende Ursachen für Dasselbe bestehen, aber kann nicht auch Eine für Verschiedenes bestehen? Die Materie der Ideen muß eine andere seyn

---

*) 608 b: *μέγας γάρ, ἔφην, ὁ ἀγών, ... μέγας, οὐχ ὅσος δοκεῖ, τὸ χρηστὸν ἢ κακὸν γενέσθαι.*

**) 597 b: *τριτταί τινες κλῖναι αὗται γίγνονται· μία μὲν ἡ ἐν τῇ φύσει οὖσα, ἣν φαῖμεν ἄν, ὡς ἐγῷμαι, θεὸν ἐργάσασθαι. ἢ τίν' ἄλλον; Οὐδένα, οἶμαι.* 597 d: *φύσει γε καὶ τοῦτο καὶ τἆλλα πάντα πεποίηκεν.* Cohen (a. a. O. 453) setzt vor *οὐδένα, οἶμαι* einen Punkt, läßt es selbst weg, *ἢ τίν' ἄλλον* aber gesperrt drucken und interpretirt nun, die Ursache der Ideen sey in der Sprache des kritischen Idealismus unbekannt. Was hält man von dieser — Lesart?

als die des Einzelnen, aber nicht das wirkende Princip. In der That ist der hier erwähnte Ideenbildner mit dem Bildner des Gewordenen identisch. Er wirkt „Alles, was auf der Erde entsteht und alles Lebendige, ... Erde, Himmel und Götter“ (596 c). Hierdurch ergänzt sich die Lücke im Verhältnisse des Weltbildners zu den Ideen, welche der erste Theil gegenwärtigen Abschnittes gelassen, dahin, daß er selbstverständlich an ihnen nicht theilhaben kann, da vielmehr sie selbst durch ihn in ihrem Seyn bedingt sind. Deßhalb müssen wir jetzt den Satz, daß das Einzelne allen seinen mit Anderem gemeinsamen Prädicaten nach durch Theilhaben an der betreffenden Idee sey, als einen auf Gott gegenüber den Ideen unanwendbaren bezeichnen. Dagegen erhebt sich offenbar dieselbe Frage nun gegenüber der Idee des Guten: ist Gott durch Aehnlichkeit mit ihr, oder ist er auch für sie wirkende Ursache, oder besteht irgend ein anderes Verhältniß zwischen beiden? — und durch diese Frage (welche die vorhin erhobenen präcisirt) sind wir nach der Erforschung aller übrigen Verhältnisse schließlich zu dem hingewiesen, welches den eigentlichen Gegenstand unserer Erörterung bildet. Doch haben wir auf dem langen Wege die Mittel gewonnen, durch welche sich der Nebel, der diese Gipfelpuncte deckt, lüften muß, wenn er überhaupt zu lüften ist, indem wir sowohl die Glieder unseres Verhältnisses genau für sich betrachteten, als auch aus jenen anderen Verhältnissen Grundsätze des Systemes fanden, nach denen also das jetzige zu beurtheilen ist. So fanden wir außer den logisch-metaphysischen insbesondere überall, wo irgend eine Abhängigkeit besteht, bei den Dingen und Seelen sowohl als bei den Ideen, zur Erklärung die drei Ursachen des Urbildes, des wirkenden Principes und der Materie nothwendig verbunden. Aber selbst die Richtung, nach welcher wir diese Grundsätze zunächst anwenden können, ist durch die gefundene Gliederung des Systemes angezeigt. Zu unterst steht die stets sich erneuernde und wechselnde Vielheit des Einzelnen, über ihr die ewig Eine Vielheit der Ideen, über diesen wieder die Zweiheit der Idee des Guten und des Gottes. So tritt eine successive Vereinfachung in Zahl, Wesen und Verhältnissen der über einander gestellten Realitäten ein, und der ganze Bau scheint einem einheitlichen Gipfelpuncte zuzustreben. Ohne irgend etwas über dessen Nothwendigkeit oder Wirklichkeit vorauszusetzen, können wir ihn doch als regulativen Leitfaden unserer Untersuchung betrachten, die wir also zunächst darauf richten: ist und wie ist ein einheitlicher Abschluß des Ganzen herzustellen?

III. 1.

a) Bevor wir an die Untersuchung gingen, hielten wir die Frage für räthlich, ob eine klare Vorstellung über ihren Gegenstand bei Plato selbst zu vermuthen sey oder nicht, und fanden das Erstere. Auch jetzt ist diese Frage noch nicht sicher zu entscheiden; denn obwohl der Dualismus nach genauerer Kenntniß der Bedeutung seiner Glieder allerdings als ein scharfer erscheinen muß, ist er doch nicht als Widerspruch hervorgetreten. Auch jetzt können wir zwar aus dem nun sehr fühlbaren Bedürfniß eines verbindenden und erklärenden Princips, welches jeder wirkliche Dualismus mehr oder minder stark mit sich führt, dessen Befriedigung erwarten, zumal da sie so nahe gelegen und ohne Zwang zu erreichen war. Denn dem höchsten unter den Künstlern ziemte es wohl, sein Vorbild wenigstens denkend zu produciren oder sich selbst abzubilden, und nicht ebenfalls ein außer ihm gelegenes Urbild nur zu copiren; und an der Idee des Guten haben wir sogar ein Beispiel, daß wirkende und vorbildliche Ursache in Einer Realität zusammenfallen können. Die gestellte Frage muß also in ihrem ersten Theile bejaht werden: Einheit ist herzustellen. Auch jetzt aber liegt Nothwendigkeit nicht vor. Was wir also thun können, ist die M ö g l i c h k e i t e n, w i e Einheit herzustellen ist, und die Gründe für und gegen jede derselben vorläufig zu überlegen; vielleicht daß wir manche unter ihnen als Unmöglichkeiten, vielleicht auch daß wir eine unter ihnen für mehr als bloße Möglichkeit erkennen werden.

α) Plato's eigene Weise war bisher die gewesen, die Einheit von Verschiedenem als besondere Realität über diesem zu suchen. Sie war jedoch in unserem Falle unmöglich. Denn zwar besteht der Grund für eine solche Annahme, da Mehrerem gleiche Prädicate zukommen; allein eben aus diesem Grunde war jene Realität stets eine Idee gewesen und müßte es auch hier seyn, und das Verhältniß des Einzelnen zur Idee war und müßte seyn Aehnlichkeit oder Theilhaben. Nun haben wir aber gesehen, daß nicht sowohl die Idee des Guten an einer Idee als vielmehr alle Ideen an ihr theilhaben, und daß auch Gott nicht an den Ideen überhaupt theilhaben kann, da er sie erst hervorbringt. Es ist also dieser Weg verschlossen.

β) Ein anderer wäre, nicht ein Drittes über Beide, sondern Eines über das Andere als Bedingung seines Seyns zu stellen; und zwar zuerst in Form der Immanenz. So würde erstlich die Idee des Guten als Theil, als Eigenschaft, als Gedanke Gottes zu fassen seyn*). Allein wir kennen Gott als einfach, also ganz und in jeder Beziehung gut, und daß ein Theil, Gedanke, Eigenschaft von ihm die Idee des Guten, das Uebrige aber nur gut und am Ende durch Theilhaben an jenem Theile gut wäre, sind doch wohl Absurditäten. Dasselbe gilt, wenn umgekehrt Gott das Bedingte seyn sollte. Abgesehen davon aber fanden wir alle jene Arten der Immanenz und Unselbstständigkeit schon für die Ideen unmöglich, noch viel mehr muß dies für die Idee des Guten gelten, die „an Würde und Kraft des Seyns weit über ihnen steht"; und das dort Geltende, wie ein selbstdenkendes Wesen nur Gedanke seyn, oder ein Gedanke selbst denken sollte, gilt auch bezüglich Gottes, der vor Allem denkender Geist ist.

γ) Es kann also nur noch von Bedingtheit im Sinne der Erzeugung eines vom Erzeugenden real Getrennten gesprochen werden: Gott ist Ursache der Ideen, ist er nicht auch Ursache

---

*) Steinhart führt, indem er (VI, 87) vermuthet, Plato habe mit ἰδέα und νοῦς eine objective und subjective, eine ideale und reale Seite des Einen göttlichen Wesens bezeichnet, eine neue Distinction in Plato's Lehre ein, die ihr sonst ganz fremd ist.

der Idee des Guten? Allein hier greifen nun die für alles abhängige Seyn bewährt gefundenen Sätze Platz, wonach es kein Wirkendes giebt ohne ein Vorbild, nach welchem, und eine Materie, in welcher es wirkt. Denken wir uns, es existire in der That ein Urbild auch für die Idee des Guten, so würde erstlich offenbar dieselbe Zweiheit wieder vorhanden seyn, welche die obige Ansicht vermeiden will; was Anderes ferner könnte eine Materie noch bedeuten, als daß sie Grund der Unvollkommenheit wäre, da keine Vielheit von Ideen des Guten existirt? So hätten wir denn wirklich ein an sich Gutes, das noch nicht ganz gut wäre. Doch sey dies Alles den Neuplatonikern zugegeben: wer hindert es aber, wenn wir für jenes Uebergute (**Plotin. Enn. VI, 9, 6.**) wiederum dasselbe behaupten wollen, und danach auch hier nicht bloß nach einem weiteren Urbilde und nach einer Materie, sondern auch und nothwendig nach einer wirkenden Ursache fragen? Man nehme also (nach der Vorschrift des **Philebus**) immer ein Wirkendes, ein Vorbild und eine Materie und mische die beiden letzteren: mit diesem Recept hat man zugleich das Gesetz einer unendlichen Reihe, wie sie nicht unähnlich die neuplatonischen Systeme angefangen haben; und das wäre die gesuchte Einheit. Ueberdies ist schon jenes erste *παράδειγμα* wie auch eine Materie der Idee des Guten von uns nur versuchsweise gedacht, von Plato nicht gegeben, von Aristoteles und Hermodorus ausdrücklich verneint (s. Susemihl **II, 515, 522**).

Doch auch die Idee des Guten hat wirkende Kraft, und zwar wirkt sie sowohl das Erkannte als (wie sich wenigstens erschließen läßt, S. 61) die erkennenden Geister; erzeugt sie auch den höchsten derselben? Hier gelten ähnliche, ja noch mehr Schwierigkeiten, wie gegen die vorige Annahme. Zuerst fragt sich, was überhaupt eine solche Erzeugung des Gottes zu bedeuten hätte; und sie bedeutete offenbar Nichts. Denn Gott ist nur als Ursache der Ideen und alles Anderen außer der Idee des Guten gefordert: welche Berechtigung und welchen Sinn hätte also noch seine Annahme? Ferner müßte er eine Materie haben, da kein Wirken ohne eine solche möglich ist, und doch versichert Plato, er sey durchaus gut, ja, da er ihn die beste der Ursachen nennt, so wäre Gott besser als die Idee des Guten, die seine Ursache wäre, und, da dann diese wieder nicht durchaus gut seyn könnte, auch für sie eine Materie nothwendig, und damit die unendliche Reihe auch hier eröffnet.

δ) Wenn wir also zugeben müssen, daß die Idee des Guten sowohl als der Gott nur für das übrige Seyn wirkende Ursachen seyn können, so läßt dies die Annahme frei, daß beide, obgleich selbst von einander getrennt, zu Einem Resultate zusammenwirken. Plato würde dann den Wirkungen jedesmal nur Eine dieser beiden Ursachen gegenübergestellt haben, und so steht auch diese Annahme mit seinen Worten in Einklang. Dagegen ist ihr eine Bedeutung noch schwerer als jenen abzugewinnen. Denn sie hebt, wenn beide Ursachen von einander unabhängig gedacht werden, von vorneherein auf, was alle diese Annahmen erstreben, nämlich die Einheit des höchsten Princips; und zwar ergänzen und fordern sich nicht etwa beide zum gemeinsamen Resultat, wie Vorbild und Künstler, sondern jede ist in demselben Sinne Ursache und macht die andere überflüssig; Gott allein vermag ja Alles, was sonst Sterbliche und Unsterbliche vermögen (Leg. X, 901 d). Werden aber die beiden von einem Dritten abhängig gedacht, so sind sie beide unnöthig, kurz es verdoppelt sich, was gegen die früheren Annahmen galt.

ε) Wie ist sonach die beiden zugeschriebene Ursächlichkeit in Bezug auf ein und Dasselbe zu denken? Es ist unmöglich, daß Eines der Beiden wieder durch das Andere erzeugt, also dieses mittelbare, jenes unmittelbare Ursache wäre (γ); es ist unmöglich, daß Beide als real verschieden unmittelbare Ursachen wären (δ); es ist also nur möglich, daß sie es als real identisch sind; und zwar fanden wir vorher eine Verschiedenheit, wonach das Eine nur Theil, Eigenschaft, Gedanke des Andern wäre, ebenfalls unmöglich (β); es ist also allein denkbar die völlige Identität.

b) Dasselbe Resultat ergiebt sich auch auf anderen Wegen. Wie sich beide auch immer verhalten mögen, es genügt, daß Gott Güte zugeschrieben wird (II. 1.). Wir fanden bezüglich eines solchen Einzelurtheils den Satz, daß wenn Subject und Prädicat nicht identisch und dieses vielen Subjecten gemeinsam ist, das Verhältniß beider metaphysisch zu denken sey als Aehnlichkeit des Subjects mit der dem Prädicat entsprechenden Idee (II. 1.). Diesen sonst ganz allgemeingültigen Satz fanden wir auf Gott den Ideen gegenüber nicht anwendbar, da sie vielmehr erst durch ihn existiren (II. 2.). Seine Anwendbarkeit gegenüber der Idee des Guten wird also davon abhängen, ob auch sie durch Gott hervorgebracht ist oder nicht. Ersteres ist unmöglich nach Gründen, die wir nicht zu wiederholen brauchen (a. γ.); wie es aber zu denken sey, daß sie nicht hervorgebracht ist, darum kümmern wir uns hier nicht weiter, sondern schließen daraus nur, daß unser Satz in diesem Falle angewendet werden kann und muß. Nun enthält er zwei Bedingungen: Gemeinsamkeit des Prädicates mit Vielem und Nicht-Identität desselben mit dem Subject. Sind diese gültig, so ist Gott Abbild der Idee des Guten. Daraus aber folgt wieder die unvermeidliche Materie und das wirkende Princip seiner Verähnlichung, für welches sich nun ganz Dasselbe wiederholt, und so in's Unendliche. Es muß also wenigstens Eine der Bedingungen unzutreffend seyn; und da die Eigenschaft der Güte Gott allerdings mit anderen Wesen gemeinsam zugeschrieben wird, müssen Subject und Prädicat, Gott und das Gute selbst identisch seyn, und der Satz: Gott ist gut bedeutet nichts Anderes als der: Gott ist die Idee des Guten.

c) Die Idee des Guten ist mittelbar Urbild der gewordenen Welt. Die Welt ist aber auch „Bild des geistigen Gottes," und Gott „wollte, daß Alles ihm möglichst ähnlich werde" (II. 1.). Wie sie sich nun in dieser Beziehung auch verhalten, jedenfalls muß es Ein höchstes Urbild der gewordenen Welt geben; denn sobald es viele Urbilder giebt, wie die Ideen ja thatsächlich sind, findet nothwendig Reduction auf eine Einheit

z. B. die Idee des Guten statt. Sind nun sowohl Gott als die Idee des Guten von jenem höchsten Urbild verschieden, so müssen sie, da auch ihnen die Welt verähnlicht ist, sich zu demselben verhalten, wie die Ideen zur Idee des Guten, also seine Abbilder seyn. Ist Eins von ihnen mit demselben identisch, so muß das Andere sein Abbild seyn. In beiden Fällen aber folgt eine unendliche Reihe gemäß den schon öfter angewandten Principien. Mithin bleibt Nichts übrig, als daß sie beide mit jenem höchsten Urbild der gewordenen Welt, also auch unter sich identisch sind*).

d) Was wir im vorigen Beweise für das Seyn der gewordenen Welt hypothetisch annahmen, ist uns für das menschliche Handeln und Erkennen gegeben. Die Idee des Guten ist höchstes Urbild für das Handeln und Ziel für das Erkennen. Nun gilt das Gleiche auch von Gott. Seine Erkenntniß ist das Schönste (s. fgd. S. A. 3); er ist das Maß aller Dinge (Leg. IV, 716 c, mit ausdrücklichem Bezug auf den theils erkenntnißtheoretischen theils ethischen Satz der Sophisten gesagt); ihm strebt der Philosoph sich zu verähnlichen, soweit es Menschen möglich ist**); dessen Streben und Leben aber ist das höchste. Hier scheinen also sogar zwei höchste Urbilder gegeben zu seyn. Allein nicht mit zweien selbst incommensurablen Maßen kann gemessen werden, und sind sie vergleichbar, so giebt es doch nur Ein absolutes Maß

---

*) Hiegegen könnte der Einwand möglich scheinen, daß eine unendliche Reihe von Urbildern dem *τρίτος ἄνθρωπος* zufolge allerdings Consequenz der platonischen Lehre und ihr ganz entsprechend sey, also als absurdum wohl zu ihrer Widerlegung aber nicht zu ihrem Beweise, auf den es hier ankommt, gebraucht werden könne. Allein dagegen steht wiederum, daß es hier nicht auf die Consequenzen der platonischen Lehre, sondern auf diese selbst ankommt, auf das, was Plato wirklich angenommen hat, und dies kann gewiß nicht eine unendliche Reihe z. B. von Gottheiten seyn.

**) Das.; ferner Theaet. 176 b (*ὁμοίωσις θεῷ κατὰ τὸ δυνατόν*, vgl. Rep. VI, 500 c: *θείῳ δὴ καὶ κοσμίῳ ὅ γε φιλόσοφος ὁμιλῶν κόσμιός τε καὶ θεῖος εἰς τὸ δυνατὸν ἀνθρώπῳ γίγνεται*, IX, 592 b: *ἐν οὐρανῷ ἴσως παράδειγμα ἀνάκειται τῷ βουλομένῳ ὁρᾶν καὶ ὁρῶντι ἑαυτὸν κατοικίζειν* bezügl. der Idee des Guten); ferner Rep. X, 613 a (*εἰς ὅσον δυνατὸν ἀνθρώπῳ ὁμοιοῦσθαι θεῷ*, Tim. 90 d, u. ö.

in geometrischen wie in sittlichen Dingen*) und nur Ein letztes Ziel**). Werden dennoch zwei genannt, so sind es eben nur zwei Namen für ein und Dasselbe.

e) Unter allen Bestimmungen des Seyns, welche für Gott und die Idee des Guten vorlagen, haben wir keine gefunden, die sie nicht gemein hätten; abgesehen von denjenigen, die ihnen mit anderen Wesen gemeinsam zukommen (Ewigkeit, Geistigkeit rc.). Diese Gleichheit des Seyns findet sich, wie für Plato immer (Tim. 29 c; Rep. VII, 534 a), auch in der gleichen Erkennbarkeit: beide sind sehr schwer und nicht mehr völlig erkennbar***); ja sogar in der Art, wie sie der Erkenntniß zugänglich werden: sie werden aus dem Erzeugten, dem das Erzeugende ähnlich ist, den göttlichen Gestirnen, erkannt†). Auch dieselben Folgen werden der Erkenntniß der göttlichen Fürsorge und der Idee des Guten zugeschrieben††). Es ist also gar keine Differenz Beider angegeben, vielmehr alles, was dem Einen zukommt, auch dem Anderen zugeschrieben. Unter solchen Umständen müssen wir fragen: welches ist der Grund, der uns veranlaßt, nicht von vorneherein nur an Ein Wesen, sondern an zwei zu denken? Gelingt es dann, diesen Grund als un-

---

*) Polit. 283 d f. (αὐτὸ τἀκριβές 284 d) vgl. Leg. VI, 757 a f., Gorg. 508 a.

**) Rep. VII, 519 c: σκοπὸν ἐν τῷ βίῳ .. ἕνα, οὗ στοχαζομένους δεῖ ἅπαντα πράττειν. Vgl. Gorg. 507 d.

***) Tim. 28 c, Rep. VI, 505 a; Leg. XII, 966 b: ἓν τῶν καλλίστων ἐστὶ τὸ περὶ τοὺς θεούς ... εἰς ὅσον δυνατόν ἐστι ταῦτ' ἄνθρωπον γιγνώσκειν, vgl. Phaedr. 246 c: οὔτε ἰδόντες οὐθ' ἱκανῶς νοήσαντες θεόν.

†) Rep. VI, 508 a f. Bezüglich des Gottes Leg. X, 897 d: μὴ τοίνυν ἐξ ἐναντίας οἷον εἰς ἥλιον ἀποβλέποντες, νύκτα ἐν μεσημβρίᾳ ἐπαγόμενοι, ποιησώμεθα τὴν ἀπόκρισιν, ὡς νοῦν ποτὲ θνητοῖς ὄμμασιν ὀψόμενοί τε καὶ γνωσόμενοι ἱκανῶς· πρὸς δὲ εἰκόνα τοῦ ἐρωτωμένου βλέποντας ἀσφαλέστερον ὁρᾷν, eine Stelle, welche dem aus Rep. VI u. VII Gehörten genau entspricht; als Bild für die Bewegung des νοῦς giebt sie die Bewegung des Weltalls.

††) Leg. X, 905 c: γιγνώσκειν δὲ αὐτήν .. πῶς οὐ δεῖν δοκεῖς; ἥν τις μὴ γιγνώσκων οὐδ' ἂν τύπον ἴδοι ποτέ, οὐδὲ λόγον ξυμβάλλεσθαι περὶ βίου δυνατὸς ἂν γένοιτο εἰς εὐδαιμονίαν τε καὶ δυσδαίμονα τυχήν. Vgl. Rep. VI, 505 a: εἰ δὲ μὴ ἴσμεν κ. τ. λ., VII, 517 c f. o.

berechtigt nachzuweisen, so ist damit ein letzter Beweis für die Identität geliefert, der, indem er die Frage aus den Gründen ihrer Entstehung entscheidet und die Ursachen der gegentheiligen Annahme zerstört, zur eigentlichen Ueberzeugung führen wird.

„Plato hat die Identität nicht ausgesprochen und konnte sie auch, schon wenn man die Namen in Betracht zieht, nicht leicht aussprechen.“*) Diese Worte, gegen die Identität gerichtet, eignen wir uns für sie an, denn sie deuten den gesuchten Grund und zugleich seine Widerlegung an. Der Name Idee scheint unverträglich mit der Vorstellung eines selbständigen, persönlichen Wesens, die wir mit dem Namen Gott zu verknüpfen pflegen, und schon deßhalb die Identität schwer anzunehmen. Zwar wäre genauer hinzuzufügen: für uns, aber doch bestärkt in dieser Ansicht der Umstand, daß sie wirklich von Plato trotz der Wichtigkeit, die es gehabt hätte, nicht ausgesprochen ist. Denn dies scheint eben jenes zum Grund zu haben. Vor Allem nun wird es Niemand wundern, daß Plato nicht in Form einer Definition die Frage entschied, da er überhaupt nicht in lauter Definitionen spricht; und hätte er uns etwa wie Spinoza more geometrico versichert, Gott sey gar nicht nach Rücksicht des Guten thätig, so wären wir ihm wenigstens für die ersparte Mühe der Untersuchung dankbar gewesen. Aber auch so hoffen wir aus den Dialogen, die für unsere Frage in Betracht kommen (s. Einleitung) zu zeigen, daß Plato sie sich vorgelegt und sich über ihre Entscheidung geäußert, daß er sie wirklich entschieden, und wie er sie entschieden hat.

Im **Philebus**, dem (nach allgemeiner Annahme) ersten der vier letzten großen Dialoge, finden wir die Frage aufgeworfen und ihre Lösung angedeutet 22 c: *Φίλ. Οὐδὲ γὰρ ὁ σὸς νοῦς* (der menschliche) ... *ἔστι τἀγαθόν. Σωκρ. Τάχ᾽ ἂν ... ὅ γ᾽ ἐμός· οὐ μέντοι τόν γε ἀληθινὸν ἅμα καὶ θεῖον οἶμαι νοῦν, ἀλλ᾽ ἄλλως πως ἔχειν.* Wenn wir dieses *πως* beachten, können wir nicht, wie oft geschieht, die Stelle als unmittelbaren Be-

*) Trendelenburg de Phil. cons. A. 42.

weis der Identität ansehen. Es ist denkbar, daß Plato der Identität gewiß war, sich aber aus irgendwelchen Gründen hier nicht mit voller Bestimmtheit aussprach (wie er das oft thut); denkbar aber auch, obgleich weit unwahrscheinlicher, der andere Fall, daß sie ihm hier noch nicht völlig feststand; in diesem Falle beweist die Stelle wenigstens, daß er, sobald ihm die Idee des Guten in ihrer erhabenen Stellung hervortrat (s. o. S. 67.), sich auch unsere Frage vorlegte und daß die Identität ihm schon hier ihre Lösung schien.

Daß er aber die Frage wirklich entschieden hat, geht daraus hervor, daß in den folgenden Dialogen niemals wieder davon die Rede ist. Plato liebt es nicht, wie viele Andere, die Schwierigkeiten in seinem Systeme und seine Zweifel zu verhüllen, wir haben dies an mehrfachen Beispielen gesehen (II. 2.). Er hätte die einmal aufgeworfene Frage insbesondere bei der Wiedererwähnung der Idee des Guten in der Rep., welche unverkennbar und nach allgemeiner Ansicht an die Erörterungen des Phil. anknüpft und deren Resultate recapitulirt (daß sie das höchste Erkenntnißobject*), daß sie weder Lust noch Einsicht, daß sie das höchste Maß für das sittliche Streben sey, cap. 17) wäre sie ihm noch Frage gewesen, noch eher als diese erwähnt. Aber warum giebt er nicht, wie bei diesen, kurz seine Meinung an, wenn er denn doch entschieden war? Hat er vielleicht besondere Gründe, sie nicht bloß etwas unbestimmt, wie im Phil., sondern gar nicht auszusprechen? Warum nennt er nicht einmal irgendwo Gott und die Idee des Guten zusammen?

Dies zeigt, wie er die Frage entschieden hat. Denn vor Allem ist zu bemerken, daß sie selbst da nicht im Verhältnisse zu einander erwähnt werden, wo es die Sache nothwendig erforderte, wären sie verschieden von einander, wo also die Ausflucht, er habe besondere Gründe, ungültig ist. Rep. X ist Gott als die wirkende Ursache der Ideen den übrigen wirkenden

---

*) Rep. VI, 505 a: ὅτι γε ἡ τοῦ ἀγαθοῦ ἰδέα μέγιστον μάθημα, πολλάκις ἀκήκοας.

Ursachen gegenüber dadurch charakterisirt, daß er kein Vorbild nachbildet (der Dichter bildet das Einzelne nach, der Bildner des Einzelnen die Ideen). Entweder giebt es also kein Urbild der Ideen oder es ist selbst das Wirkende. In der That aber ist uns ein Urbild der Ideen in der Idee des Guten gegeben; sie muß also selbst der Ideenbildner seyn. Ebenso hätte im Tim., wo es darauf ankam, zu zeigen, daß die Welt als die beste dem besten Urbild nachgebildet sey, die Idee des Guten als das Urbild auch der Ideen erwähnt werden müssen, es wird aber nur gesagt, die Welt sey ähnlich den Ideen (28 a) und dem Gotte (29 e). Es wird also kein Verhältniß beider angegeben, weil in der That keines besteht, sondern nur Eine Realität. Aber hätte er die Identität nicht wenigstens dadurch aussprechen können, daß er dieser Einen Realität die beiden Namen zuschrieb? Das thut er auch, nur nicht in Einem Satze: und dies zeugt erstlich nicht gegen die Identität, denn warum hätte er beide gerade in einen Satz zusammenfassen müssen? Nur wenn irgend ein einfaches oder complicirtes Verhältniß bestände, dann allerdings hätte er wohl einmal z. B. Rep. VI Veranlassung gehabt, es in dieser Weise bestimmt auszusprechen; oder auch, wenn er geahnt hätte, daß in einem späteren Jahrtausend noch Viel darüber werde gestritten werden. Zweitens aber zeugt es für die Identität. Schon für den Gott, den wir doch als Einen für die Ideen und das Einzelne fanden, werden je nach dem Gedankengang, durch den seine Existenz gefordert wird, verschiedene Bezeichnungen gewählt. Er ist der höchste *νοῦς* als das Princip der vernünftigen Ordnung, welche im Ganzen waltet (Phil.), er ist der *δημιουργός* als das wirkende Princip der Welt des Einzelnen (Tim.), er ist der *φυτουργός* als das wirkende Princip der Ideen (Rep. X), er ist die erste *ψυχή* als Ursache der Bewegung (Leg. X). So ist denn auch ein weiterer Name für ihn die Idee des Guten. Denn diese behauptet in der Rep. (VI, VII) dieselbe Stelle wie der Gott und die Götter in den Leg. (X). Beide Dialoge haben, wenn auch im Einzelnen viel abweichend, doch im Allgemeinen zum

Gegenstande die Staatseinrichtungen. Aber die Republik, das Werk platonischer Wissenschaft und Theorie, stets gestützt auf die Ideenlehre, gipfelt in dem Beweise für die Nothwendigkeit der Anschauung der Idee des Guten, deren Existenz nicht eigens bewiesen zu werden braucht, sondern mit den Ideen überhaupt feststeht (weil es Gutes giebt, giebt es auch eine Idee des Guten)*). Die **Leg.**, mehr populärer und praktischer Natur, worin die Ideenlehre höchstens andeutungsweise erwähnt ist und die nirgends aus ihr Beweise führen, gipfeln in der Forderung der Ueberzeugung vom Daseyn Gottes als Grundlage aller Gesetze und in dem Beweise desselben aus der Bewegung. So kommt es, daß wir oben dieselben Aussagen über die Idee des Guten und über den Gott der **Rep.** einerseits, den **Leg.** andererseits entnehmen konnten, weil beide in der That von dem Nämlichen sprechen. Die Verschiedenheit der systematischen Begründung**) in Verbindung mit der der Darstellungsweise bedingt also die Verschiedenheit der Ausdrücke für Dasselbe, und diese Verschiedenheit der Ausdrucksweise mag der sofortigen Annahme der Identität im Wege stehen, wie sie auch wenigstens mit ein Grund gewesen seyn mag, daß beide nicht zusammen genannt wurden; aber sie ist die einzige, und es gilt in der That (wenigstens bezüglich der drei letzten Dialoge), daß Plato

---

*) Einen ähnlichen Beweis, worin ausdrücklich das *ἄριστον* als Gott bezeichnet wird, führt Simplicius de coel. Schol. in Arist. p. 487, a, 6 aus der verlorenen Schrift des Aristoteles *περὶ φιλοσοφίας* an; er scheint von Aristoteles wohl nur als platonisch referirt worden zu seyn, da dieser selbst ihn nirgends bringt und er in der That nur in der platonischen Ideenlehre Bedeutung hat — oder Aristoteles müßte damals noch dieser gehuldigt haben; in beiden Fällen ist er für unsere Frage beweisend. Er lautet: „*Καθόλου γάρ ἐν οἷς ἐστί τι βέλτιον, ἐν τούτοις ἐστί τι καὶ ἄριστον· ἐπεὶ οὖν ἐστὶν ἐν τοῖς οὖσιν ἄλλο ἄλλου βέλτιον, ἔστιν ἄρα τι καὶ ἄριστον, ὅπερ εἴη ἂν τὸ θεῖον*“ d. h. wo es ein Mehr oder Minder der Vollkommenheit giebt (bei allem Gleichnamigen), da giebt es ein (relativ) Vollkommenstes (die Idee); nun findet eine solche Stufenreihe der Vollkommenheit beim Seyenden überhaupt statt, es giebt also ein (schlechthin) Vollkommenstes (Idee des Guten), welches Gott ist.

**) Dazu kommt die der historischen Grundlagen für den *νοῦς* einerseits, die Ideenlehre andrerseits, die wir am Schlusse behandeln werden.

die Identität nicht aussprach und nicht aussprechen konnte, schon wenn man die beiden Ausdrücke in Betracht zieht, aber es beweist die Identität.

Durch diese letzten Erwägungen ist nun zugleich der Einwand unmöglich geworden, an den wir von vorneherein gegen alle Folgerungen erinnern mußten: daß Plato möglicherweise die Sache selbst nicht entschieden habe. Ohnehin ist der vermeintliche Dualismus auf allen Puncten zum hellen Widerspruche geworden, der, wie uns Plato selbst in der Einleitung lehrte, die Seele zwingt, in einer Einheit seine Lösung zu suchen.

2.

Die Frage scheint uns mit aller bei historischen Untersuchungen möglichen Gewißheit entschieden und so unsere Aufgabe gelöst zu seyn. Indeß steht es uns frei, nicht zufrieden damit, noch dem Gewinnste nachzugehen, den das Resultat zum Verständniß der griechischen Philosophie und zwar zunächst des platonischen Systems liefert, und uns, nach langwieriger Specialuntersuchung auf der Höhe desselben angelangt, durch eine freie Umschau über Nah und Fern dafür zu entschädigen. Betrachten wir also zu diesem Zwecke unser Resultat genauer! Es ist erstlich: eine völlige Einheit und Identität; — wäre dies Alles, so dürften wir nun wie jene Landleute, nachdem sie von dem Eins gehört, uns schnell wieder davon machen. Aber es ist zweitens eine Einheit, die diese nicht zu schätzen wußten, Einheit des höchsten Princips; — auch von dieser möchte ich nicht behaupten, daß sie Plato so wichtig geschienen wie uns. Denn in der That ist dies Princip nicht das allein Ursprüngliche, da die wenn auch wenig seyende und in anderem Sinne ursächliche (dreifache) Materie noch unabhängig neben ihm besteht und bestehen bleibt. Unser eigentliches Interesse lag darum von vorneherein nicht in der Untersuchung eines etwaigen Dualismus in der Lehre, sondern einer Zweideutigkeit der Lehre selbst, wie sie dem ersten Anblick entgegentrat, und hätten wir jeden Dualismus, insbesondere den von Idee und Einzelnem, ohne Weiteres für unerträglich, unphilosophisch, unplatonisch erklärt, so wären wir nie zu jener höchsten Einheit gekommen, es sey denn, daß wir dem Gotte seine wissenschaftliche Realität abgesprochen und dadurch Plato mit sich entzweit hätten. Klagt er ja selbst, daß „die jetzigen Weisen unter den Menschen das Eine, wo sie es treffen, weit schneller und lässiger annehmen als sie sollten“! (Phil. 16 e) Demnach liegt die Bedeutung des Gefundenen weniger darin, daß das höchste Princip Eines ist, als darin, welcher Art dieses Eine höchste Princip ist d. h. in dem platonischen Gottesbegriffe, wie er sich aus der Identität ergiebt. In ihm ist der Grundton zu jener Harmonie der ganzen Lehre gefunden, die ihr von jeher nachgerühmt worden ist und in der sich jetzt auch die einzelnen während unserer Untersuchung gefundenen Dissonanzen lösen. Dies zu zeigen, ist Aufgabe des Folgenden.

a) Die Ideen sind Objecte aller Erkenntniß, vorzüglich aber der göttlichen (II. 1.). Die Idee des Guten ist höchstes Object der Erkenntniß (II. 2.) und ist identisch mit Gott (III. 1.). Gott oder die Idee des Guten erkennt also vor Allem sich selbst. (Vgl. S. 61.)

b) Die Ideen sind Urbilder alles Seyns, und darum ist jede das in ihrer Art Vollkommene (II. 1.). Die Idee des Guten ist das Urbild auch für die Ideen und durch sie für alles Andere (II. 2.), sie ist identisch mit Gott. Gott ist also das überhaupt Vollkommenste und darum sich selbst genügend*).

Wie ist nun Etwas möglich und begründet, was nicht Gott ist? Bezüglich der Ideen ist Weniges angegeben, was uns ungewiß läßt**); in der That mögen die Umstände, daß

---

*) Vgl. Phil. 60 c: ᾧ παρείη τοῦτ᾽ ἀεὶ τῶν ζώων διὰ τέλους πάντως καὶ πάντῃ, μηδενὸς ἑτέρου ποτὲ ἔτι προσδεῖσθαι, τὸ δὲ ἱκανὸν τελεώτατον ἔχειν. 20 c: τὴν ἀγαθοῦ μοῖραν πότερον ἀνάγκη τέλεον ἢ μὴ τέλεον εἶναι; ΠΡΩ. πάντων δή που τελεώτατον.. ΣΩ. τί δέ; ἱκανὸν τἀγαθόν; ΠΡΩ. πῶς γὰρ οὔ; καὶ πάντων γε εἰς τοῦτο διαφέρειν τῶν ὄντων.

**) Rep. X, 597 b: ὁ μὲν δὴ θεός, εἴτε οὐκ ἐβούλετο, εἴτε τις ἀνάγκη ἐπῆν μὴ πλέον ἢ μίαν ἐν τῇ φύσει ἀπεργάσασθαι αὐτὸν κλί-

Gott selbst den Namen der Idee, wenn auch in modificirter Bedeutung, trägt, daß die Ideen gleich ewig, daß sie die vorzüglichsten Objecte seiner Anschauung sind, die Entscheidung hierüber verhindert haben. Dagegen ist der Grund der übrigen Welt angegeben: es ist die neidlose Güte Gottes als Beweggrund (*δι' ἥν τινα αἰτίαν*, Tim. 29 d) zu ihrer Bildung (II. 1.). Davon genauer unten.

c) Die Ideen sind real getrennt von allem von ihnen Abhängigen (II. 1.) sowie unter sich (II. 2.), die Idee des Guten getrennt von den Ideen wie diese vom Uebrigen (das.), aber identisch mit Gott. Daraus folgt die absolute Transscendenz und Individualität des platonischen Gottes gegenüber allem von ihm Abhängigen, den Ideen, den erkennenden Geistern und der sinnlichen Natur, welche zusammen die platonische Welt bilden*).

d) Die Ideen nehmen nicht die Stellung erkennender Subjecte in der platonischen Welt ein, denken nur sich selbst (II. 1.)**). Der Idee des Guten aber wird Erkenntnißkraft in Bezug auf alles Uebrige zugeschrieben (S. 61). Der Grund hiervon ist nun klar: sie ist Gott, den wir schon früher (II. 1.) als Alles erkennend fanden.

e) Die Ideen sind nicht wirkende Ursachen (II. 1.). Die Idee des Guten aber ist Gott, den wir schon gefunden als wirkende

---

νην, οὕτως ἐποίησε μίαν μόνον. Spricht überdies nur von der Zahl der Ideen.

*) Woher kommt es also, daß man aus der Identität gerade im Gegentheil geschlossen hat, er sey das Allgemeinste (Zeller 455, auch Schwegler u. A.)? Sehr einfach daher, daß man nicht platonische Ideen (die ja hypostasirt sind, Zeller 442), sondern irgend welche andere im Auge hatte. Selbst wenn man ein Eingehen der Ideen in einander, eine partielle Identität, so undenkbar sie auch ist, annimmt, muß doch die Idee des Guten als *παράδειγμα* der Ideen von ihnen getrennt werden; sie wäre also eher das Individuellste.

**) Das Letztere ließ sich wenigstens aus dem Ersteren in Verbindung damit, daß kein Object für sie angegeben ist, während sie doch denken sollen, erschließen. Indeß will ich diesen Schluß, da er durch keine directe Aussage Plato's bestätigt wird, nicht für ganz unbestreitbar ausgeben. Man könnte sagen, er habe nichts entschieden. Wir haben darum auch nichts weiter darauf gestützt.

Ursache von Allem*) (mit Ausnahme der ewigen Materie), vom Erkennenden und Erkannten, vom ewig Seyenden und Gewordenen. Daher also auch die wirkende Kraft der Idee des Guten. Haben wir ja schon bei der Erklärung des Gewordenen eine Idee mit wirkender Kraft und einen Geist, der nicht Abbild der Ideen ist, als Principien gleich denkbar und, was Letzteres betrifft, Gott nicht nur nicht als Abbild (II. 2.), sondern jetzt (b) vielmehr als Urbild der Ideen gefunden.

f) Die Ideen sind nicht Zweckursachen, welche nur in einem Geiste seyn können, der sie zu verwirklichen strebt (II. 1.). Für die Idee des Guten ist dies Hinderniß hinweggefallen; sie ist nicht bloß im Geiste Gottes, sondern er selbst. Sie kann also Zweckursache seyn und ist es, wenn Gott es ist. In dieser Hinsicht hat sich aber (II. 1.) eine Schwierigkeit ergeben, welche die Berechtigung des Zweckes im Systeme überhaupt fraglich machte. Diese Frage muß jetzt entschieden werden: ist Gott Zweck und wiefern?

Gut ist, was entweder um seiner selbst oder um eines Andern willen oder aus beiden Gründen erstrebt wird und, wenn erreicht, glückselig macht**). Diese Bedeutung alles Guten, wie sie Plato feststellt, ist offenbar identisch mit der des Zweckes und wird auch von ihm dafür erklärt (Gorg. 499 e); aber kann sie auch von der Idee des Guten gelten, da doch keine Idee erstrebt werden kann, sondern nur ihre Aehnlichkeit? Sie kann in strenger Weise nur in Einem Falle gelten, wenn nämlich die Idee selbst sich Zweck ist; und darum ist in der That Gott, der sich selbst genügende, glückselig***). Ziel der Welt hingegen

---

*) Daher Rep. VI, 511 b: τὴν τοῦ παντὸς ἀρχήν (Idee d. G.).

**) Meno 77 c (πάντες δοκοῦσι τῶν ἀγαθῶν ἐπιθυμεῖν), Gorg. 468 a f. ἕνεκ' ἄρα τοῦ ἀγαθοῦ ἅπαντα ταῦτα ποιοῦσιν οἱ ποιοῦντες... τὰ γὰρ ἀγαθὰ βουλόμεθα) 499 e (τέλος εἶναι ἁπασῶν τῶν πράξεων τὸ ἀγαθόν), 506 c, Symp. 204 e (τί ἔσται ἐκείνῳ ᾧ ἂν γένηται τἀγαθά;.. εὐδαίμων ἔσται), 205 e f. (οὐδέν γε ἄλλο ἐστὶν οὗ ἐρῶσιν ἄνθρωποι ἢ τοῦ ἀγαθοῦ), Phil. 54 a f. Rep. II, 357 b (dreifaches ἀγαθόν). Natürlich ist dies nur eine Namenerklärung.

***) Theaet. 176 e, Phaedr. 247 a u. ö. Rep. VII, 526 e (Idee d. G.): τὸ

kann allerdings nur die Aehnlichkeit mit der Idee des Guten seyn, und diesen Zweck schreibt Plato sowohl Gott bei ihrer Bildung und Lenkung als ihr selbst in aller ihrer Entwickelung zu.

Als Ursachen des Guten in der Welt finden wir bei der Weltbildung im Timaeus nicht weniger als vier verzeichnet. Erstens: Gott wollte, daß Alles möglichst gut sey (30 a); zweitens: er wollte, daß Alles ihm möglichst ähnlich werde (29 e); drittens: nach den Ideen gebildet muß die Welt die beste werden (28 a); viertens: der Beste kann nur das Beste thun*). Die beiden ersten Gründe scheinen nichtssagend gegenüber den beiden anderen, denn nach diesen muß die Welt ohnehin die bestmögliche werden. Aber auch sie scheinen sich wiederum gegenseitig überflüssig zu machen; denn nach jedem von beiden muß die Welt die beste werden. Es ist also schon von vornherein an einen Zusammenhang derselben zu denken; ihn bringt die Identität Gottes mit der Idee des Guten. Indem diese selbst Urbild der Ideen ist, wird durch den dritten Grund nur die nächste, secundäre Ursache, durch den vierten die entferntere, primäre angegeben. Die letztere enthält denn auch der zweite jener Gründe: Gott wollte die Welt sich selbst d. i. der Idee des Guten verähnlichen, und dasselbe sagt der erste: er wollte, daß Alles gut d. i. der Idee des Guten ähnlich werde. Der Widerspruch aber, der noch zwischen dem „wollen“ dieser beiden und dem „müssen“ der beiden letzten Gründe zu bestehen scheint, hebt sich dadurch, daß Gott die beste Welt dann bilden mußte, wenn er überhaupt eine bilden wollte, so daß auch jenes mittelbar auf seine neidlose Güte als Beweggrund zurückführt. So giebt erst die Identität die Lösung des in II. 1. entstandenen Knotens und die Rechtfertigung der einfach schönen Worte, mit denen Plato den Grund der Welt in Gott und dessen Zweck bei ihrer Bildung bezeichnet Tim. 29 d: λέγωμεν δή, δι' ἥν

εὐδαιμονέστατον τοῦ ὄντος. Er ist nicht nach menschlicher Art veränderlicher Lust und Unlust theilhaft, Phil. 33 b.

*) 30 a: θέμις δὲ οὔτ' ἦν οὔτ' ἔστι τῷ ἀρίστῳ δρᾶν ἄλλο πλὴν τὸ κάλλιστον.

τινα αἰτίαν γένεσιν καὶ τὸ πᾶν τόδε ὁ ξυνιστὰς ξυνέστησεν· ἀγαθὸς ἦν, ἀγαθῷ δὲ οὐδεὶς περὶ οὐδενὸς οὐδέποτε ἐγγίγνεται φθόνος· τούτου δ' ἐκτὸς ὢν πάντα ὅ τι μάλιστα γενέσθαι ἐβουλήθη παραπλήσια ἑαυτῷ. Was aber bei der Bildung der Welt Grund und Zweck war*), ist es auch in ihrer Lenkung, daher die Fürsorge Gottes sowohl für die Natur bis in's Kleinste als für den Menschen (Leg. X, 902 a f.), der doch in seiner Kleinheit wie ein Spielzeug der Götter erscheint (ibid. VII, 803 c), und besonders für den Guten, da dem Aehnlichen der Aehnliche lieb ist (ibid. IV, 716 c, d). Endlich ist der Zweck Gottes bei der Bildung und Lenkung der Welt auch in ihr selbst Ziel aller Entwickelung. Zwar strebt nicht die Welt als Ganzes nach ihrer Verähnlichung mit Gott, denn sie ist ihm schon möglichst ähnlich gebildet und selbst ein glückseliger Gott (Tim. 34 b), aber alles einzelne Werden in ihr hat diesen Zweck und der kleinste Theil zielt, wenn auch unbewußt, zum Ganzen hin, zu dessen Glück alles Geschehen geschieht**). Es ist das Ziel, „das jede Seele verfolgt und um dessen willen sie Alles thut, indem sie ahnt, was es sey, aber zweifelt und nicht

*) Bei der Bildung des Einzelnen waren auch besondere Zwecke z. B. Tim. 47 a — e (Zweck der Sinnesorgane), daher überhaupt die Teleologie des Tim., wie sie Phaedo 97 c f. verlangt (ἑκάστῳ οὖν ἀποδιδόντα τὴν αἰτίαν καὶ κοινῇ πᾶσι τὸ ἑκάστῳ βέλτιστον ᾤμην καὶ τὸ κοινὸν πᾶσιν ἐπεκδιηγήσεσθαι ἀγαθόν, 98 b).

**) Leg. X, 903 b: πείθωμεν τὸν νεανίαν τοῖς λόγοις, ὡς τῷ τοῦ παντὸς ἐπιμελουμένῳ πρὸς τὴν σωτηρίαν καὶ ἀρετὴν τοῦ ὅλου πάντ' ἐστὶ συντεταγμένα, ὧν καὶ τὸ μέρος εἰς δύναμιν ἕκαστον τὸ προσῆκον πάσχει καὶ ποιεῖ· τούτοις δ' εἰσὶν ἄρχοντες προστεταγμένοι ἑκάστοις ἐπὶ τὸ σμικρότατον ἀεὶ πάθης καὶ πράξεως, εἰς μερισμὸν τὸν ἔσχατον τέλος ἀπειργασμένοι (vgl. Phaedr. 246 b: πᾶσα ἡ ψυχὴ παντὸς ἐπιμελεῖται τοῦ ἀψύχου, Tim. 90 a: δαίμονα θεὸς ἑκάστῳ δέδωκε)· ὧν ἓν καὶ τὸ σόν, ὦ σχέτλιε, μόριον εἰς τὸ πᾶν ξυντείνει βλέπον ἀεί, καίπερ πάνσμικρον ὄν· σὲ δὲ λέληθε περὶ τοῦτο αὐτό, ὡς γένεσις ἕνεκα ἐκείνου γίγνεται πᾶσα, ὅπως ᾖ ἡ τῷ τοῦ παντὸς βίῳ ὑπάρχουσα εὐδαίμων οὐσία, οὐχ ἕνεκα σοῦ γιγνομένη, σὺ δὲ ἕνεκα ἐκείνου. Phil. 54 c: ἑκάστην δὲ γένεσιν ἄλλην ἄλλης οὐσίας τινὸς ἑκάστης ἕνεκα γίγνεσθαι, ξύμπασαν δὲ γένεσιν οὐσίας ἕνεκα γίγνεσθαι ξυμπάσης ... τό γε μὴν οὗ ἕνεκα τὸ ἕνεκά του γιγνόμενον ἀεὶ γίγνοιτ' ἄν, ἐν τῇ τοῦ ἀγαθοῦ μοίρᾳ ἐκεῖνό ἐστι.

sicher zu fassen vermag, was es denn sey" (Rep. VI, 505 e; Phil. 20 d); das aber der Weise sicher zu erkennen und zu erreichen strebt, indem er alles Kleinliche gering achtend stets auf das Ganze blickt und, wie dieses, in dem für Alles gemeinsamen Gute*) der Gottähnlichkeit, soweit sie Menschen möglich ist, sein Glück findet**).

Für alles Wirken Gottes und der von ihm gewirkten Welt ist demnach die Aehnlichkeit mit ihm gemeinsamer Zweck, für alles Erkennen ist er gleichfalls Ursache und Ziel (vgl. S. 63 A. 3); und so „hat Gott, wie schon ein alter Spruch besagt, Anfang, Ende und Mitte alles Seyenden inne und führt es auf geradem Wege und seiner Natur entsprechend zum Ziele" (Leg. IV, 715 e). —

Diese Andeutungen, zu kurz, um die reiche Quelle, aus der sie geschöpft sind, zu erschöpfen, genügen doch, um nachzuweisen, wie in der inneren Gliederung und dem Gerippe des Systemes jene lebendigwarme Ueberzeugung ihren festen Halt besitzt, welche das ganze Philosophiren Plato's durchdringt, und wie seine sog. religiösen Anschauungen, weit entfernt den philosophischen zu widersprechen, in diesen wurzeln oder besser gesagt mit ihnen identisch sind.

Also selbstbewußt, in sich vollendet und glückselig, transscendente, individuelle, Alles erkennende, causale und finale Ursache der Welt: das ist der platonische Gott. Aber wie? könnte Einer einwenden — sollen denn sieben magere Prädicate auch nur begrifflich andeuten, was alles Plato von Gott und göttlichen Dingen zu sprechen weiß? Spricht er nicht vielmehr auch von vielerlei Göttern und Dämonen, von Ares und Eros, ja von Radamanthys, Cerberus, Styx, Pyriphlegethon u. s. w.? Wir wollen darum anhangsweise ein Wort über Plato's Stellung zur Volksreligion und über die platonischen Mythen bei-

---

*) Phil. 64 a: *ἔν τε ἀνθρώπῳ καὶ τῷ παντὶ πέφυκεν ἀγαθόν.* Phaedo 98 b.

**) Theaet. 172—177 c. Rep. VI, 486 a u. s. f. durch alle Schriften.

fügen. Denn obgleich selbstverständlich es uns so wenig wie Plato einfallen kann, nach diesen Seiten hin das Bisherige durch Folgerungen weiterzuführen, so kann und muß doch gefordert werden, daß jede Erweiterung, wie sie auch sonst beschaffen sey und vollzogen werde, dem Bisherigen nicht widerspreche.

Was nun zuerst die Volksreligion betrifft, so war dies einem Theile nach ohnehin nicht der Fall: der Polytheismus war Plato's eigene Lehre. Denn obgleich gerade jetzt am besten sein Monotheismus uns klar geworden, da Gott das Ἕν selbst ist, so steht doch unter ihm die Vielheit der gewordenen Götter, der Gestirnseelen, denen allen Güte, Wissen und Macht in vorzüglichem Grade zukommt (Leg. X, 901 d), und so kann Plato mit Thales (Arist. de an. I, 5 p. 411, a, 8) sagen: Alles ist voll von Göttern (Leg. X, 899 b). Auf diese wirklich am Himmel ziehenden göttlichen Gestirne lenkt er also den Polytheismus hin (Phaedr. 246 e f., u. ö.), die Gottesvorstellung im Allgemeinen sucht er im Kampfe gegen die Anthropomorphismen der Dichter zu reinigen (Rep. II. u. III.), die Dämonen und Halbgötter sind ihm allegorische Bezeichnungen menschlicher Eigenschaften und Affecte*); die religiösen Erzählungen aber, deren Ursprung nachzuforschen ihm Zeitverlust scheint (Phaedr. 229 c f.), bilden nebst den Erfindungen eigener Phantasie und den meist pythagoreischen Anschauungen über die Natur des Himmelsgebäudes und der Erde das Material zu seinen Mythen.

Welches ist nun das eigentliche Object der platonischen Mythen, zu dessen Darstellung dieses Material dient? Wir werden es finden, wenn wir denjenigen Inhalt der platonischen Schriften aufsuchen, welcher, nachdem wir die wissenschaftliche Lehre in allgemeiner Skizze uns vorgeführt, noch keine Stelle gefunden hat. Es ist dies erstlich Das, wovon es kein Wissen giebt sondern nur wahrscheinliche Meinung (nach Plato's Theorie, die er aber gewiß nicht aufgestellt hätte, wenn er nicht

---

*) So der Eros im Symp. und Phaedr.; vgl. auch Phaedr. 252 c f.

selbst, vom Lichtreiche der Ideen kommend, in diesen Gebieten „geblinzelt“ hätte) d. i. die ganze Naturlehre, die hauptsächlich im Tim. gegeben und aus fremden Systemen mit einigen Aenderungen adoptirt ist. Wir berührten diese in unserer Darstellung nur so weit, als sie mit der Ideenlehre zusammenhängt (Ideen Principien der Natur). Zweitens aber sind es die Einzelheiten Dessen, wovon es (nach plat. Theorie) wohl ein Wissen im Allgemeinen giebt aber (nach der Natur der Sache) nicht im Einzelnen: und diese sind der Gegenstand der platonischen Mythen, nämlich die Einzelheiten des Götterlebens (**Phaedr**.), des Weltlebens (**Pol.**; damit verbunden Urgeschichte der Menschheit, **ibid. u. Protag.**), des Menschenlebens vor und nach dem jetzigen Daseyn (**Phaedr.**, **Phaedo**, damit verbunden die Seelenwanderung), insbes. der Vergeltung (**ibid.**, **Gorg.**, **Rep. X**). Denn daß Gott und Götter existiren und glückselig sind, daß die Welt beseelt und lebendig ist, daß unsere Seelen vor und nach diesem Leben existiren, daß eine Fürsorge Gottes für sie, insbesondere die guten, und für die ganze Welt besteht, all' dies fanden wir in der philosophischen Lehre gegeben.

Mithin, da die platonischen Mythen diese als ihre Grundlage und Bedingung vielmehr voraussetzen, können sie ihr unmöglich widersprechen; das aber ist es, was allein, wie wir oben sagten, gefordert werden kann und muß*).

---

*) Ueber Begriff, Zweck und wissenschaftlichen Werth der platon. Mythen zu untersuchen gehört nicht zu unserer Aufgabe, wir wollen aber Einiges hier anfügen, da es sich aus dem Obigen leicht ergiebt. Nach diesem ist der pl. Mythus (ausgenommen Rep. III, 414 b f., dessen singuläre Bedeutung angegeben ist, und Symp., s. u.) ein neuer Gedankeninhalt neben der philosophischen Lehre, welcher durch sie nicht gefordert wird, ihr aber auch nicht widerspricht. Unsere Auffassung unterscheidet sich also sowohl von derjenigen, nach welcher er eine nothwendige Erweiterung der Ideenlehre ist und ihr zugleich widerspricht (Zeller 362, 510; vgl. K. Fr. Hermann, Gesch. 2c. I, 511), als von der, wonach er eine parabolische Darlegung der Ideenlehre selbst in Bezug auf das Werden ist (Susemihl I, 283, II, 317, 322; ähnl. Deuschle, plat. Mythen). Sagten wir aber nicht selbst bei Gelegenheit des Timaeus, das Mythische könne nur parabolisch gefaßt werden? Allerdings, wenn Jemand Wahrheiten darstellen, belehren will und thut es durch

Das System hat sich in seinen Grundzügen als ein einheitliches, der Gottesbegriff als so fest in ihm gegründet er-

einen Mythus, so kann er nur parabolisch oder allegorisch gemeint, nur Darstellungsform seyn. So die Mythen des Symp., bes. 203 f., eine didaktische Allegorie, deren Inhalt, wie Zeller richtig bemerkt, eben so gut in rein dialektischer Form gegeben werden konnte. Man kann dies wie auch die Gebilde der Phantasie, deren Stoff nicht aus der Mythologie genommen ist, und die sowohl innerhalb der eigentlichen Mythen (wie z. B. die Seelenrosse im Phaedr.) als für sich vorkommen können (z. B. die Mischung der Seelen Tim. 35 a, 41 d, des Guten Phil. 61 c f.), ebenfalls mythisch nennen, wenn man den Namen weiter faßt. Freilich kommt man dann in die Lage, mit Susemihl (I, 248) auch die Wachstafel und den Taubenschlag, womit im Theaet. die Natur der Seele versinnlicht werden soll, für mythisch zu erklären. Man mag es thun, wir streiten nicht über das Wort; aber sicherlich ist im Timaeus, da uns hier Plato offenbar über Wahrheiten belehren will (z. B. ob die Welt entstanden oder nicht) nur dieser weitere Begriff desselben am Platze. In diesem Sinne haben wir denn auch das Mythische im Tim. zugegeben; er theilt es aber mit allen anderen Dialogen Plato's. Es ist ja seine Art, das Abstracte in sinnlich-anschaulicher Weise darzustellen, und darin, wie auch in dem Streben nach Schönheit und Harmonie der Weltanschauung liegt die Vereinigung des Künstlers mit dem Philosophen, die man so sehr betont; die schlimmste Associirung aber wäre die, wenn der Künstler immer nur da nachzuhelfen hätte, wo der Philosoph in die Enge kommt, und so die herrlichen Mythen nichts als eine sauere Nothwendigkeit wären, um die Blößen der Ideenlehre zu bemänteln.

Was ist nun aber Zweck der Mythen, wenn sie nicht nothwendig waren? Er ist meist und zwar verschieden angegeben, besonders praktisch z. B. Ermunterung, nach dem Vorgetragenen zu leben und zu sterben (Gorg. 522 e, 527 b, Phaedo 107 c, 114 d). Ohnehin aber sind sie in der Persönlichkeit Plato's genugsam begründet (vgl. Prot. 320 c: δοκεῖ τοίνυν μοι χαριέστερον εἶναι μῦθον ὑμῖν λέγειν); gerne lenkt er nach Beendigung einer wichtigen und schwierigen Untersuchung in sie ein, wie am Schlusse des Phaedo nach den Beweisen der Unsterblichkeit, am Schlusse der Rep. und des Gorg. nach Aufzeigung der Gerechtigkeit und ihres Glückes in diesem Leben; und darf man es dem beschwingten Geiste des Philosophen verargen, wenn er mit der Erinnerung bei dem Göttlichen verweilt (Phaedr. 249 c), und wenn ihm Wissen und Meinung, Phantasie und Sage dienen müssen, den in dialektischer Untersuchung gesicherten Besitz zu genießen? Darum ist es auch für uns (vgl. ibid. 229 c f.) großentheils verlorene Mühe, seine Mythen nach ihrem dialektischen Gehalte zu deuten; er wollte eben nicht immer Erkenntniß machen.

Hiernach möchte sich endlich auch die Frage nach dem wissenschaftlichen Werthe der Mythen oder der Zustimmung, die sie in allen ihren Nuancen bei Plato besitzen, beantworten. Einerseits müssen wir uns hüten, den Bewiesen, daß eben durch ihn das Ganze seine Einheit, das Einzelne seine Erklärung findet. Nach dem systematischen können wir nun noch kurz den historischen Zusammenhang in's Auge fassen, in welchem der platonische Gottesbegriff als Verbindung des *νοῦς* und des *ἀγαθόν* erscheint. Nicht ganz dieselben Systeme sind es, an welche Plato hierin und an welche er in der Ideenlehre vorzugsweise anknüpft. Während er in dieser die Polemik gegen Eleaten, Herakliteer und Sophisten zum Ausgangspuncte hat, positiv von Sokrates nur die allgemeine Grundlage empfängt, schließt er sich in jenem, Gegebenes positiv fortbildend, unmittelbar an den Jonier Anaxagoras und an Sokrates an. A n a x a g o r a s hatte, nachdem die ersten der griechischen Philosophen nur die belebte Materie in verschiedenen Formen als Princip aufgestellt, zuerst den allwissenden, von aller Materie freien Geist als Ursache der Bewegung und der Ordnung im Weltall erkannt*). Ihm spendet darum Plato wiederholt Anerkennung, tadelt ihn nur deßhalb, weil er dies nicht in der Erklärung des Einzelnen durchgeführt; denn alsbald spreche er von Luft, Aether und Wasser als von Ursachen,

---

griff, den wir vom Mythus haben daß er seinem wörtlichen Inhalte nach unwahr sey, ohne Weiteres Plato aufzudringen, denn abgesehen von dem allgemeinen Thema aus seiner Lehre sind auch seine Naturanschauungen, also wahrscheinliche Meinungen, in die Mythen verarbeitet; andrerseits und besonders, ihren Zweck nur in die Theorie und die Erforschung neuer Wahrheiten zu setzen, denn für den erwähnten praktischen Zweck konnte es gleichgültig sein, ob sie sich mehr oder weniger der Wirklichkeit näherten, die zu erforschen unmöglich war (Gorg. 527 a, Phaedo 114 d), und für die letzterwähnte Bedeutung kam es gar nicht auf die Wahrheit, sondern nur auf die Schönheit im Einzelnen an; nur generell widersprechen durfte es nicht. Hierher gehören insbesondere die beiden anderen Bestandtheile: die religiösen Erzählungen und die Erfindungen eigener Phantasie. — Dies sollen, wie gesagt, gelegentliche Bemerkungen sein, die nähere Erörterung obiger Fragen fällt der genetischen und psychologischen Forschungsweise anheim.

*) Arist. de an. I, 2. p. 405, a, 16: *μόνον γοῦν φησὶν αὐτὸν τῶν ὄντων ἁπλοῦν εἶναι καὶ ἀμιγῆ τε καὶ καθαρόν· ἀποδίδωσι δ' ἄμφω τῇ αὐτῇ ἀρχῇ, τό τε γιγνώσκειν καὶ τὸ κινεῖν, λέγων νοῦν κινῆσαι το πᾶν.* Simpl. ad Phys. f. 33: *πάντα ἔγνω νόος*, 35: *πάντα διεκόσμησε νόος.*

wie wenn man sagen wollte, es sitze Einer hier, weil sein Körper aus Knochen und Sehnen zusammengefügt sey (Phaedo 98 c), und der ganze Himmel erscheine seinen Augen wieder mit Steinen, Erde und anderen leblosen Dingen angefüllt (Leg. XII, 967 c). In der That waren die Jonier zu vorwiegend mit der Erklärung der sinnlichen Natur beschäftigt, als daß das Geistige, auch wenn es, wie hier, dieser Erklärung diente, selbst Gegenstand eingehender Untersuchung geworden und der Keim tieferer Erklärung auch für jene zur Entwicklung gediehen wäre. In richtiger Erkenntniß dieses Mangels wandte sich darum Sokrates fast ausschließlich geistigen und zwar zunächst ethischen Fragen zu. Indem er hier, auf Einem Felde mit mit den Sophisten, zuerst die gesetzgebende Gewalt des Allgemeinen betonte, gab er durch diese Methode die Anregung zur Ideenlehre; der Grundbegriff aller ethischen Untersuchungen aber, den er zum ersten Male hervorhob, das Gute, ist neben dem *νοῦς* des Anaxagoras das wichtigste Moment des platonischen Gottesbegriffes geworden. Ja er selbst bringt beide schon in enge Verbindung, indem er die insbesondere für den Menschen*) zweckmäßige Einrichtung der Natur durch den zwecksetzenden und fürsorgenden Gott betont. Gleichwohl gereicht auch ihm die selbstauferlegte Beschränkung zu einigem Nachtheil. Denn die Ethik hat ihre letzte Stütze in der Metaphysik, und alles „Nützliche" muß sie zu dem von dieser angegebenen ersten Zwecke hinordnen; darum fehlt auch der teleologischen Naturerklärung ein theoretischer Abschluß, solange nicht dieser und der Zusammenhang der secundären Güter mit ihm nachgewiesen ist. Während nun die übrigen Schüler des Sokrates je eine specielle Seite des Guten einseitig verfolgten, während Euklid, ursprüglich ein Eleate, durch die Verbindung des *νοῦς* und *ἀγαθόν* mit dem metaphysischen *ἕν* der Eleaten**) umgekehrt die Anerkennung je-

---

*) jedoch nicht ausschließlich; er hebt z. B. die innere Zweckmäßigkeit der Organismen hervor. Auch Plato behauptet eine besondere Fürsorge für die Menschen (s. o.).

**) Diog. Laërt, II, 106: *οὗτος ἓν τὸ ἀγαθὸν ἀπεφαίνετο πολλοῖς*

der Vielheit des secundären Guten unmöglich machte, hat allein Plato, der größte und treueste Sokratiker, jene Aufgabe richtig erfaßt und allseitig durchgeführt. Zuerst in die Fußstapfen des Meisters tretend (Lysis, Charmides etc.) schuf er sich allmälig in der Ideenlehre den metaphysischen Boden, aus welchem durch die Vereinigung der höchsten Idee mit dem göttlichen νοῦς die Teleologie, wie wir gesehen, in allen Gebieten und bis in's Einzelnste erwuchs. Denn nun giebt es nicht bloß Gutes sondern ein absolutes Gut, die Aehnlichkeit mit jener höchsten Idee, zu dem sich alle übrigen Güter als secundäre verhalten; indem aber die Idee des Guten zugleich der göttliche νοῦς ist, ist sie auch das erste wirkende und erkennende Princip, welches der erste Zweck nothwendig zu seiner Verwirklichung erfordert: und so ist eine einheitliche Grundlage für die Ethik sowohl in Bezug auf den Einzelnen (Phil.) als in Bezug auf die Gesellschaft (Rep. Leg.) und für die Naturphilosophie (Tim.) gegeben. Durch die Ideenlehre hat ein Theil früherer Lehren seine vorläufige Berichtigung erfahren, durch die Vereinigung des νοῦς und des ὀγαθόν ein anderer, und so sind auch die großen Gedanken aller Vorgänger auf das Fruchtbarste in einem Schlußpuncte vereinigt.

Aber es war zugleich ein Durchgangspunct. Prüfen wir den Boden, welchen die junge Metaphysik gewährt. Wir haben die Ideen, fertig wie sie uns entgegentraten, analysirt*) und Folgendes gefunden: der allgemeine Gedanke, der ihnen zu Grunde liegt, ist der Gedanke des Allgemeinen; aber es ist objectiv und hypostasirt; es ist das vollkommenere Urbild des Einzelnen; ja es lebt, denkt, bewegt sich. Ueber alle Ideen erhaben ist die Idee des Guten, sie ist jener Grundlage ent-

---

ὀνόμασι καλούμενον· ὅτὲ μὲν γὰρ φρόνησιν, ὅτὲ δὲ θεὸν καὶ ἄλλοτε νοῦν καὶ τὰ λοιπά.

*) Ich will noch einmal erinnern, daß die Reihenfolge unserer Bestimmungen nicht die historische seyn soll. Plato hat wohl in ähnlicher Weise vom allgemeinen Gedanken ausgehend die besonderen Bestimmungen hinzugefügt, aber nicht nothwendig in derselben.

wachsen und nicht das Allgemeine der Erkenntniß, sie ist selbst erkennender und wirkender Geist, und zwar der göttliche Geist. Also nur dadurch können sich die Elemente des Keimes, der Begriff des νοῦς und des ἀγαθόν, vereinigen und zu jenem Baume der Teleologie entwickeln, daß der Boden, der zu seiner Befruchtung gedient, seine ursprüngliche Beschaffenheit verliert. Aber noch mehr: die Ideen müssen durch diese ihre Aenderung zu Grunde gehen. Denn wir haben die unlösbaren Schwierigkeiten gesehen (S. 51 f.), welche sie als das Allgemeine durch ihre Hypostasirung bereiten, ja die Falschheit und damit (S. 16.) auch die Wahrheit, die sie ermöglichen sollen, wird durch sie unmöglich. Und was sollen sie in ihrer zweiten Bedeutung als παράδειγματα dem höchsten Urbild gegenüber bedeuten, das selbst nur mehr den Namen der Idee trägt? Wenn Gott sie ohne Vorbild wirken kann, so kann er dies wohl auch beim Einzelnen; wenn wir also oben bemerkten, daß sie als secundäre Ursachen des Vollkommenen in der Welt die primäre nicht überflüssig machen, müssen wir jetzt hinzufügen, daß es vielmehr umgekehrt der Fall ist. Nur wenn sie Gedanken des νοῦς wären, der sie zu verwirklichen strebte, hätten sie als wirkliche Zweckursachen eine Bedeutung. Der Zweckbegriff also, den sie auf jene Höhe gehoben, macht sie überflüssig. Was war für Plato hier zu thun? Ihm waren sie unzurücknehmbar als Grundlage seiner ganzen Wissenschaft gesetzt, es konnte sich nur darum handeln, sie zu festigen: und dies geschah durch Annäherung an die pythagoreische Zahlenlehre. Die Zahlen hatte er wohl schon in der Rep. gleich den Ideen und aus gleichen Gründen (S. 63) verselbstständigt, sie mochten in jenen Schwierigkeiten stützende Analogien zu bieten scheinen. Wie sie, obgleich jede von der anderen verschieden ist, doch aus-einander sich entwickeln lassen, so mochte auch ein verwandtschaftlicher Zusammenhang der Ideen für sich als Grund ihrer Verbindung im Einzelnen denkbar scheinen, während das Ineinander auch jetzt ausgeschlossen blieb (Zeller 434); und wie die Zahlen die mathematischen Reihen ermöglichen, so mochten auch die Ideen die Ordnung des Wirklichen zu ermöglichen scheinen*). Sie gaben also wahrscheinlich (denn Bestimmtes läßt sich schwerlich hierüber angeben) ein Schema, einen symbolischen Ausdruck für die Verhältnisse unter den Ideen (Zeller 432); daher diese selbst jetzt Idealzahlen, das Gute aber, das transscendente Princip der Ideen, ideales Eins genannt wird. Trotz der offenbaren Nutzlosigkeit dieser Versuche, welche wohl nur als der beste Ausweg**) nach unmöglichen Annahmen den alternden Plato fesseln konnten, folgten ihm hierin die weniger bedeutenden Schüler, Speusipp und Xenokrates, nach, immer einseitiger die Zahlenspeculation ausbildend, aber gleich den einseitigen Sokratikern für den wirklichen Mangel der Lehre des Meisters blind. Und wiederum ist es der größte unter den Schülern, Aristoteles, welcher allein diesen richtig erkannte. Er lag aber diesmal nicht in dem Fehlen ontologischer Bestimmungen, sondern in der Unrichtigkeit der gegebenen, in der Hypostasirung der Ideen. Diese wurde darum, und zwar vorzugsweise aus den obigen beiden Gründen***), verworfen. An die Stelle der Ideen traten in ihrer logischen Bedeutung die aus der Wahrnehmung des Einzelnen gebildeten Begriffe des Verstandes (*εἴδη*, *γένη*), in ihrer metaphysischen vorzugsweise die Form (*μορφή*, *εἶδος*), welche für das Seyn der Dinge als individuelle und immanente Ursache dasselbe ist, was universell und transscendent die Ideen waren, indem sie das wahrhaft Seyende (*οὐσία*), die Wirklichkeit

---

*) Schon früher hatte Plato eine Analogie des geometrischen und sittlichen Maßes anerkannt (Polit. 284 e, vgl. Gorg. 508 a: *ἡ ἰσότης ἡ γεωμετρικὴ καὶ ἐν θεοῖς καὶ ἐν ἀνθρώποις μέγα δύναται*), am meisten aber tritt die Annäherung an die Zahlenlehre in dem *ἕν*, *πολλά*, *πέρας*, *ἄπειρον* des Phil. hervor. Vgl. 17 e: *οὐκ ἐλλόγιμον οὐδ' ἐνάριθμον, ἅτ' οὐκ εἰς ἀριθμὸν οὐδένα ἐν οὐδενὶ πώποτε ἀπιδόντα.*

**) Denn wie schwierig er für den Angreifer ist, zeigt die ausgedehnte Polemik bei Arist. Met. XIII, XIV.

***) Vgl. Met. I, 9. p. 991, a, 12: *ἀλλὰ μὴν οὔτε πρὸς τὴν ἐπιστήμην οὐδὲν βοηθεῖ τὴν τῶν ἄλλων (οὐδὲ γὰρ οὐσία ἐκεῖνα τούτων· ἐν τούτοις γὰρ ἂν ἦν), οὔτε εἰς τὸ εἶναι, μὴ ἐνυπάρχοντά γε τοῖς μετέχουσιν.*

(ἐνέργεια) im Dinge ist*), sodann aber auch die Zweckursache, welche entweder (οὗ ἕνεκα οὗ) im Wirkenden oder im Gewirkten oder (οὗ ἕνεκα ᾧ) in einem Dritten liegt und die Ideen als äußere παραδείγματα verdrängt.

Waren so die Principien der Lehre andere — und, wenn auch nicht tadellose, doch unzweifelhaft festere — geworden, so ist dessenungeachtet der Weg des Aristoteles und des Plato zu ihrem Gottesbegriffe, in Folge davon dieser selbst und (wenn anders die Ansicht über die Gottheit den Systemen wie ihren Namen so ihren Charakter giebt) der ganze Charakter ihrer Lehre weniger verschieden**), als es späteren unter sich feindlichen und an Beide sich anlehnenden Richtungen schien und Vielen heute noch scheint***). Denn auch er sieht sich durch die Gesetze des

*) Plato selbst macht Phaedo 102 d f. die Bemerkung, daß von der Größe in uns eigentlich das Nämliche gelte wie von der Idee der Größe, sofern beide niemals Kleinheit seyen, nur gehe, wenn diese hinzutrete, die Größe in uns unter. Dies der Begriff der aristotelischen Form.

Ebenso kommt ihm, nachdem Tim. 51 b er die Materie als immerbleibend, formlos und nur durch Hinzutritt des Bildes der Idee theils zu Feuer theils zu Wasser ꝛc. werdend beschrieben, plötzlich das Bedenken, ob nicht die Ideen als das bei allem Werden Bleibende eitle Worte gewesen; er beruhigt sich aber im Hinblick auf die Forderung der Erkenntniß. Was beim Wechsel bleibt und durch Hinzutritt der Form zum Dinge wird, ist auch nach Aristoteles die Materie.

**) Dasselbe gilt von der Methode, die ja mit dem Charakter wiederum enge zusammenhängt. Mit Sokrates und Aristoteles hat Plato die der Erfahrung gemein, sowohl nach seiner Theorie als nach seiner Praxis. Denn nach der ersteren erkennen wir die Ideen durch geistiges Schauen, wie wir das Sinnliche durch sinnliches Schauen erkennen (S. 17.) und die Dialektik ist die Erfahrung der außer unserem Denken bestehenden Verbindung der Ideen (II. 2.). In der Praxis beweist er, daß Ideen existiren und welches ihr Wesen ist, aus der Beschaffenheit der durch die Sinne wahrgenommenen Welt in Verbindung mit der nothwendigen Forderung der reinen Erkenntniß (II. 1.); seine Theorie selbst, daß wir sie nicht aus der jetzigen, sondern durch eine frühere geistige Erfahrung kennen gelernt, beweist er durch's Experiment (Meno 83 a f.).

***) Wohl muß es mit Recht als erster Grundsatz wie in der Philosophie so auch in ihrer Geschichte gelten, die Unterschiede nicht zu verwischen. Aber wodurch geschieht dies mehr, als indem man in Plato einen kritischen, subjectiven, transscendentalen, absoluten oder was immer für einen modernen Idealismus sucht? Natürlich geht alsdann aller innere Zusammenhang mit

Werdens und durch die Ordnung alles Seyenden auf ein ungewordenes, unbewegtes, von der Materie freies Princip alles Werdens und Seyns geführt. Auch ihm ist es sowohl erster Zweck, als erstes wirkendes Princip, nur daß es von Ewigkeit und ohne Mitursächlichkeit der Materie die Welt schafft*); auch sein Gott ist lebendiger, erkennender Geist, und zwar erkennt er vor Allem sich selbst, aber in sich auch alles Andere**). Darum schreibt ihm auch Aristoteles Fürsorge für Alles, besonders die ihm sich verähnlichenden Menschen, die Weisen, zu (Eth. Nik. X, 9 p. 1179, a, 22—29). Darum rühmt auch er den Anaxagoras, den Ahnherrn jener Lehre, als den ersten Nüchternen unter denen, die Thörichtes redeten (Met. I, 3. p. 984, b, 15); und daß er über den platonischen Gott sich nicht ausspricht, während er die Ideenlehre und Anderes unablässig bekämpft, kann wohl nur denselben Grund der Zustimmung haben***).

Der Gottesbegriff ist sonach bei Anaxagoras, Sokrates,

---

der sokratischen und aristotelischen Lehre, die doch zunächst an sie angrenzen, und damit auch das zweite Haupterforderniß zum historischen Verständnisse verloren.

*) Vollständig nachgewiesen von Fr. Brentano, die Psychologie des Aristoteles, insbesondere seine Lehre vom νοῦς ποιητικός. Nebst einer Beilage über das Wirken des Aristotelischen Gottes. 1867.

**) Ebendas. S. 190 f. Vgl. auch Brandis, Handb. II, 2, 1, 575 f., III, 1, 113 f. Gesch. d. Entw. I, 484.

***) (s. o. S. 6). Oder hat er denselben vielleicht gar nicht gekannt? Er tadelt ja die Ideenlehre unter Anderem auch darum, weil ihr die wirkende Ursache und die Zweckursache fehle (s. das.). Aber doch faßt er den Timaeus, wo der nach Zwecken wirkende Weltbildner gegeben ist, durchaus nicht mythisch (II. 1.). Wie erklärt sich also der obige Tadel? Jedenfalls nicht auf die obige Weise. Wir haben Aristoteles zwar überall nur zur Bekräftigung von bereits Erwiesenem benützt, weil man seine Treue in wesentlichen Stücken in Zweifel gezogen; es wäre aber fast unnöthig gewesen. Denn nur zwei Fälle wären bei der Annahme unrichtiger Ueberlieferung durch Aristoteles denkbar, beide aber sind undenkbar: entweder hätte der zwanzig Jahre mit Plato verkehrende Schüler, den dieser selbst den „Verstand der Schule" nannte, ihn in wesentlichen Stücken mißverstanden; oder er hätte seine Lehre absichtlich untreu dargestellt und sich einen Gegner erst geschaffen, mit dem er nun beständig sich auseinandersetzen müßte. Wir hätten also a priori die Richtigkeit

Plato, Aristoteles trotz der vielfachen Wandlungen der Lehren gemeinsam und die bleibende Grundgestalt in der reichen Entwickelung, welche die griechische Philosophie durch diese Männer, deren jeder sich gerne den Schüler des vorigen nannte, erhalten hat; und indem ein auf anderem Wege gewonnenes Resultat diese bei keiner stetigen Entwickelung fehlende innere Einheit einfach ergiebt, ist es auf diesem Wege bestätigt.

Werfen wir endlich noch einen Blick auf die ferneren Schicksale des platonischen Gottesbegriffes in der griechischen Philosophie! Schon den Nachfolger Plato's in der Akademie, den leiblich verwandten Speusipp, sehen wir die von jenem so glücklich vereinigten Begriffe trennen; und das Gute, bei Plato und Aristoteles sowohl erster Grund als auch Ziel des Werdens, verliert die Bedeutung als Princip, wird nur Resultat der Entwickelung (s. I. 1.). In der Fortsetzung der Akademie aber tritt, nachdem die stoische und epikureische Schule in unwissenschaftlichem Dogmatismus sich breit gemacht, eine Reaction in Gestalt skeptischer Lehren auf, welche schließlich (einem auch in anderen Zeiten der Philosophie nicht undeutlichen pathologischen Verlaufe gemäß) den Geist, dem die Mittel zu jeder Erkenntniß abgesprochen wurden, zur unvermittelten Erfassung des Höchsten treibt. Wie jetzt, bei den Neuplatonikern, jene Begriffe des

---

der aristotelischen Berichte im Wesentlichen behaupten können. In der That haben wir sie durchweg gefunden und finden sie auch jetzt. Aristoteles will Met. I die Principien der Früheren prüfen, um daraus zu lernen (c. 3. p. 983 b f.: δῆλον γὰρ ὅτι κἀκεῖνοι λέγουσιν ἀρχάς τινας καὶ αἰτίας· ἐπελθοῦσιν οὖν ἔσται τι προὔργου τῇ μεθόδῳ τῇ νῦν). Er muß sie also, wenn sie auch von den Früheren in der Durchführung verlassen wurden, in der Kritik (c. 7 f.) consequent festhalten; denn geschieht dies nicht, dann kann man allerdings, wie jene, mit jedem Princip Alles erklären. So hält er denn auch bei der Ideenlehre den Charakter der Idee des Guten als Idee fest, der aber, wie wir gesehen, die wirkende Kraft und die Zweckursächlichkeit ausschließt. Hätte freilich Plato einen Gott als wirkendes Princip außer der Idee des Guten angenommen, so hätte Aristoteles ihn eben als Princip berücksichtigen müssen. Somit wird auch die Identität durch Aristoteles bestätigt und erweist sich wiederum die Richtigkeit seiner Auffassung.

νοῦς, ἀγαθόν, ἕν aus und über einander treten, hat uns der erste Abschnitt gelehrt. Schon dort ließ sich vermuthen, wie viel von ihrer Theologie in Plato seinen Ursprung hatte, und daß ihr krankhaft-enthusiastisches Treiben der ruhigen Begeisterung, ihre mystische Weise dem einfachen Sinne Plato's fremd war, der ja nie den Zusatz vergißt εἰς ὅσον δυνατὸν ἀνθρώπῳ (Theaet. 176 b; Rep. VI, 500 d; X, 613 a; Tim. 90 d; Leg. IV, 716 c; XII, 966 c u. s. f.). So hat denn auch diese späte Schule, trotzdem sie auf das Wort des Meisters schwor, weder es noch seinen Geist verstanden, und unter allen Platonikern war der am treuesten, welcher gleich ihm mehr als den Menschen die Wahrheit liebte (Arist. Eth. Nik. I, 4 p. 1096, a, 11—17; Plato Rep. X, 595 c) und Unhaltbares verwarf, um doch auf ähnlichem Wege ein ähnliches Ziel zu erreichen.

Druck von Ed. Heynemann in Halle.